COBALT-SERIES

後宮饗華伝

包丁愛づる花嫁の謎多き食譜《レシピ》

はるおかりの

集英社

後宮饗華伝

包丁愛づる花嫁の謎多き食譜《レシピ》

目次

登場人物紹介

高《こう》嵐《らん》快《かい》
凱帝国《がいていこく》の皇帝。善政を敷き賢帝と呼ばれている。後年、秘めた恋心をずっと抱いていた方寧妃と再会してしまい……!?

鈴《りん》霞《か》
貧農の出身で、7歳の頃から都の天仙飯庄で働いている。腕のよい料理人だったが、ひょんなことから皇太子・圭鷹の身代わり花嫁となって!?

高《こう》猟《りょう》月《げつ》
皇帝の第一皇子。生母は程昭華、後の程昭儀。女好きのようだけれど……!?

高《こう》英《えい》静《せい》

皇帝の第四皇子。母は方柔妃。
父・嵐快には最も目をかけられている。
病弱で、いまだ後宮暮らし。

高《こう》氷《ひょう》希《き》

皇帝の第三皇子。ひねくれ者。

高《こう》圭《けい》鷹《よう》

皇帝の第二皇子。母は呉皇后。
立太子されてからというもの、
命を狙われることも多く……
周囲から心を閉ざしている。
天真爛漫な鈴霞と出会った
ことで、その心に変化が――!?

高《こう》明《めい》杏《あん》

圭鷹の妹。母は呉皇后で、
母の美貌を受け継いだ、
少しわがままな公主様。

イラスト／由利子

後宮饗華伝

包丁愛づる花嫁の謎多き食譜《レシピ》

一品目

包丁愛づる花嫁と芋食らう皇太子

「あれか」

高圭鷹《こうけいよう》は花梨《かりん》の木の下で立ち止まった。

視線の先には、天女と見紛《みまが》う美人の一団がいる。中でもひときわ華麗《かれい》に着飾った娘は、側仕《そばづか》えが持つ絹傘《きぬがさ》に日差しを遮《さえぎ》られ、女官に手を取られてしずしずと小道を歩いていく。

雪を欺《あざむ》く白肌《しろはだ》、桃の花びらにも似た紅唇《こうしん》、ほのかな色香漂う優艶《ゆうえん》な目元。夏水仙《なつずいせん》が咲き乱れる上襦《じょうじゅ》の袖《そで》はゆったりと長く、珊瑚朱《さんごしゅ》色の裙《くん》には五色の胡蝶《こちょう》が舞う。柳腰《やなぎごし》は金彩《きんだみ》の帯で支えられ、細腕にかけた披帛《ひはく》は神仙《しんせん》の宮殿にたなびく霞の風情《ふぜい》だ。

黒漆《くろうるし》のように艶《つや》やかな髪は高々と結い上げられている。豊かな髷《まげ》は七宝《しっぽう》があしらわれた冠《かんむり》と金歩揺《きんほよう》で飾られ、娘が一歩進むたびに翡翠《ひすい》を連ねた垂れ飾りがちらちらと揺れ動く。

まさに天姿国色《てんしこくしょく》。美女を見慣れた圭鷹でさえ、一瞬、目を奪われた。

彼女の名は栄宵麗《えいしょうれい》という。圭鷹の花嫁になる娘である。

「お声をおかけいたしましょうか」

「必要ない」

宦官《かんがん》が気をきかせて言うので、圭鷹は冷ややかに応じた。

「どうせ明日の晩餐《ばんさん》で会う」

「その前にお話しなさってみては？　言葉を交わせば、人となりなども分かるかと」

「人となりも吟味《ぎんみ》された上で入宮《にゅうきゅう》してきたんだろう。今更、気に入らないと突き返せるわけでもなし、話をするだけ時間の無駄だ」

「……栄家のご令嬢はお気に召しませんか？」

おずおずとした問いかけには沈黙で返事をした。

天帝の愛娘《まなむすめ》のような麗《うるわ》しい令嬢を見ても、何の感情もわいてこない。

政略結婚なのだから当たり前だ。互いに恋い焦がれて結婚するわけではない。

「あの娘が次期皇帝の正妃にふさわしければ、それでいい」

自分を慕《した》わなくていいし、愛してくれなくていい。妃の務めを果たしてくれれば、他には何も望まない。その代わり、夫に愛されることを期待しないでほしい。

圭鷹は彼女を愛せない。栄宵麗に限らず、これから娶《めと》るであろうすべての女人たちも。

なぜなら、圭鷹には玉座へと続く道が約束されているからだ。

君王は恋をしてはならない。

幾多《いくた》の不幸を招いた父帝《ちちてい》の恋がそう教えてくれた。

「……何だ？」

花梨の木から離れて自室に向かおうとしたとき、騒々しい声が聞こえてきた。

「……栄妃《えいひ》様！　どちらへいらっしゃるのです⁉」

女官の慌てた声を背中で聞きながら、鈴霞《りんか》は全力疾走《ぜんりょくしっそう》していた。花吹雪《はなふぶき》で織《お》り上げたような美しい裙を豪快《ごうかい》にたくし上げ、鋪地《ほち》で彩られた小道を駆け抜ける。

「待てーっ！　食材っ！」

視界の先を白い鵞鳥《がちょう》がものすごい勢いで走っていく。

健康そうな鵞鳥だ。丸々と太っていてしっかり肉がついている。

（炙《あぶ》り焼きか窯《かま》焼きが定番だけど、豆醤《みそ》味の含め煮も捨てがたいわ）

腹に葱《ねぎ》をつめて丸蒸しにしてもよし、骨付きのまま煮込んで羹《スープ》にしてもよし。

（五香粉《ごこうふん》で下味をつけてから揚げにしてもおいしいのよねー）

ごま油が香る鵞鳥のから揚げを皿に盛りつけるところを想像して鈴霞は舌なめずりする。

殺気を感じたのか、鵞鳥は翼をバサッと動かし、小道から外れて茂みの向こうへ消えた。

「逃がすかっ！」

鈴霞はすかさず茂みの陰に飛びこみ、後ろから鵞鳥をがっちりつかんだ。

「捕まえた！　わあ、ずっしり重いわね。食べごたえがありそう」

「グェッ、グエーッ！　ギエーッ！」

「こらこら、往生際《おうじょうぎわ》が悪いわよ。大丈夫。私がごちそうにしてあげるからね」

「──いったい何の騒ぎだ」

暴れる鵞鳥を押さえつけていると、小道のほうから男の声が飛んできた。

長身の青年だった。年の頃は二十歳《はたち》前後。四爪《しそう》の龍が織り出された長衣《ちょうい》に柳染《やなぎぞめ》の外衣《うわぎ》を羽織っている。髻《もとどり》は玉をちりばめた豪奢《ごうしゃ》な冠で飾られ、帯からは翡翠の佩玉《はいぎょく》が下がっていた。

一幅《いっぷく》の絵のような立ち姿。高貴な血筋を感じさせる美貌《びぼう》は不機嫌そうに歪んでいる。

（どこの貴公子かしら。うちの店でも見たことない立派な身なり……）

青年をじっくり観察した後で、鈴霞はとびっきりの愛想笑いをした。

「お騒がせしてすみません。厨房《ちゅうぼう》から逃げ出した食材を捕獲していたんです」

「厨房から逃げ出した……？　ちょっと待て、そいつは水雅《すいが》じゃないか」

「水雅？　あんた、鵞鳥にしてはたいそうな名前を持ってるのね。皇帝の愛玩物《ペット》みたい」

鵞鳥はグエーッギエーッと叫んでじたばたしている。

「放してやれ。水雅は食材じゃない」

「え⁉　じゃあ、ほんとに皇帝陛下の愛玩物⁉」

鈴霞がびっくりして手を放した隙《すき》に、鵞鳥はスタコラと逃げ出して青年の後ろに隠れた。

「君は御膳房《ごぜんぼう》の女官じゃないな？　どこの女官……いや、まさか君は……」

「そんなことより、その鵞鳥、食べないんですか⁉　食べ頃なのに⁉」

「食材じゃないと言っただろう。そんなことより君は――」

「栄妃様っ！　こんなとこ……まあっ！　何ですかその恰好《かっこう》⁉　葉っぱまみれになって！」

ぜいぜい言いながら追いかけてきた太り気味の女官が目を三角にした。

「まあまあっ！　御髪《おぐし》がぐしゃぐしゃ！　せっかく綺麗《きれい》に結って差し上げたのに……まあ！」

まあ、は彼女の口癖《くちぐせ》である。朝から晩まで「まあまあまあ」言っているので、鈴霞は彼女に「まあさん」とあだ名をつけた。

「御前にて失礼いたしました。平にご容赦《ようしゃ》くださいませ」

まあさんは青年に向かって恭《うやうや》しく跪《ひざまず》いた。三度、頭を垂れる拝礼《はいれい》は皇族に対するものだ。

鈴霞がぼーっとしてその様子を見ていると、まあさんが大慌てで手招きした。

「何をなさっているんです。栄妃様も皇太子殿下に拝礼なさいませ」

「こっ、皇太子、殿下……⁉」

ぼさぼさ頭に葉っぱをくっつけた鈴霞は、ぎょっとして青年を振り仰《あお》いだ。

眉間《みけん》に皺《しわ》を寄せた美貌の貴人《きじん》――彼が凱《がい》帝国の次期皇帝、高圭鷹。

つまり、鈴霞が身代わり花嫁を務める栄宵麗の夫になる人だ。

（……初《しょ》っ端《ぱな》からやらかした……）

さーっと青ざめた鈴霞をせせら笑うように、鵞鳥の水雅がグァーッと鳴いた。

乱世は遠い昔。明君と名高い仁啓帝《じんけいてい》の治世の下、人々は泰平《たいへい》を謳歌《おうか》していた。

都の華やぎは後世の語り草になるほどだが、特に異邦人たちをうならせたのは多種多様な絶品の料理だ。あまたの国と民族をのみこんで領土を広げてきた凱帝国には世界の美食が集《つど》っている。ところせましと軒《のき》を連ねる料理店にはそれぞれの美味があるが、鈴霞が働く天仙飯庄《てんせんはんしょう》は口うるさい食通《しょくつう》たちを満足させられる数少ない老舗飯店《しにせレストラン》の一つだった。

「……え？　私ですか？」

鵞鳥肉の燻製《くんせい》を薄く切って皿に盛りつけていた鈴霞は、主人に呼ばれて顔を上げた。

「〈紅衣仙女《こういせんにょ》〉のお客人がおまえをご指名なんだよ。ちょっと来てくれないかね」

天仙飯庄の個室には神仙にちなんだ名前がつけられている。客の懐《ふところ》具合によって部屋の調度《ちょうど》や接客の質が変わるが、〈紅衣仙女〉は一番高値の部屋だ。

「なんで私なんでしょう？　今日は〈紅衣仙女〉にお料理出してませんけど……」

料理の味を気に入った客が料理人を呼んで心付けをくれることはある。もちろん、口に合わないと料理人を呼びつけて叱責《しっせき》する客もいるが。鈴霞はどちらも経験済みだ。

「さあねえ。とにかく女料理人を連れてこいとおっしゃるんだよ。うちの女料理人はおまえだけだから、鈴霞のことだと思うんだが」

小首をひねりつつ、鈴霞は身なりを整えて〈紅衣仙女〉に向かった。

美形の女給《じょきゅう》に酒を注がせていたのは、いかにも偉そうにふんぞり返った壮年《そうねん》の男だった。男はなめ回すように鈴霞を見た後、顎《あご》をしゃくって主人や女給を下がらせた。

「先に言っておくが、おまえは俺の命令に従うしかない」

男が傲慢《ごうまん》そうな口ぶりで言うので、鈴霞は目をぱちくりさせた。

「おまえは今日から俺の妹、栄宵麗だ」

「……はい？」

「一月《ひとつき》後には皇太子の花嫁として東宮《とうぐう》に上がれ」


男の話をまとめるとこうだ。

大変名誉なことに、栄家は一族から皇太子の正妃を出すことになった。花嫁に選ばれた宵麗は十七歳。皇太子妃にふさわしい羞花閉月《しゅうかへいげつ》の美姫《びき》だったが、なんと一月前にさらわれてしまった。血眼《ちまなこ》になって探しているものの、見つからない。入宮の日は刻々と迫ってくる。やむを得ず、顔形の似た娘を身代わりとして宮中に送ることにした。

そこで栄家は鈴霞に目をつけた。鈴霞は宵麗と同じ十七歳で、顔形が似ているからだ。

「宵麗を連れ戻し次第、おまえは天仙飯庄に帰してやろう。報酬《ほうしゅう》も出す」

勢いよく酒杯《しゅはい》を干して、男は立ち上がった。

「話は終わりだ。着の身着のままでいいから来い。主人には俺から説明しておく」

「えっ……ま、待ってください！　私、出身は並許《へいきょ》の片田舎《かたいなか》ですし、実家は貧農《ひんのう》でしたし、どこからどう見ても庶民《しょみん》ですよ！　皇太子妃の身代わりなんて無理です！」

栄家といえば、皇后の実家である呉《ご》家に連なる名門貴族だ。

今を時めく栄家の令嬢の身代わりに一介《いっかい》の料理人を据えるなんて、正気の沙汰《さた》ではない。

「こちらもおまえのように泥臭《どろくさ》い娘を使うのは不本意だ」

男は太い眉《まゆ》をひそめて鈴霞を見下ろした。

「身なりは小汚いが、顔形は宵麗に瓜二《うりふた》つだ。飾り立てれば見分けがつかなくなるだろう」

「いやいや、そういうことじゃなくて……！　身代わりって、要するに皇太子や皇帝を騙《だま》すってことでしょ？　そんなこと、私にできるわけないですよ！　だいたい、私は――」

「逆らえばこの店をつぶす」

怒気をはらんだ声音《こわね》が降り、鈴霞はびくっとした。

「おまえは天仙飯庄の主人に恩義があると聞いている。ろくでなしの兄に売り飛ばされて妓楼《ぎろう》に連れていかれそうになったとき、拾ってくれたのがここの店主らしいな」

男は扇子《せんす》の先で鈴霞の顎《あご》をすくいあげ、意地悪く唇をつり上げた。

「天仙飯庄は歴史の長い店だ。恩人の代で廃業させるのは惜しいと思わないか？」

単なる脅《おど》しではない。高官を大勢輩出《はいしゅつ》している栄家の権力をもってすれば、料理店の一軒や二軒、廃業に追いこむのは容易《たやす》いだろう。

（……天仙飯庄をつぶすわけにはいかないわ）

主人と奥方は鈴霞の養い親だ。老舗飯店では女料理人を嫌うことが多いが、天仙飯庄の一流の料理人たちは鈴霞を弟子と認め、知識や技術を惜しみなく与えてくれた。給仕たちも気のいい連中ばかりだし、下男下女たちも働き者ばかりで、毎日楽しく厨房に立てるのは彼らのおかげだ。もし天仙飯庄が廃業したら、皆が路頭《ろとう》に迷ってしまう。

（のんびり悩んでいる暇はなさそうね）

煮すぎてはだめ。焼きすぎては台なし。炒《いた》めすぎては醜《みにく》い。料理は頃合いが命だ。どれほど入念に下ごしらえをしても、時機を失したとたん、これまでの苦労が水の泡《あわ》になる。

「一つ条件があります」

鈴霞は男の尊大さに負けないように勝気に言い返した。

「近頃、同業者の妨害に遭《あ》ってうちの龍尾《りゅうび》が減っているんです」

皇帝の食事を司《つかさど》る御膳房《ごぜんぼう》は、余った食材を市井《しせい》の料理店に売り下げる。それが龍尾だ。各飯店は競って龍尾を買う。皇帝の口に入るかもしれなかった食材を使えば料理に箔《はく》がつく上、金持ちたちがありがたがって注文するからだ。

「栄家から口利《くちき》きしていただけませんか。天仙飯庄がたっぷり龍尾を受けられるように」

「おまえは自分の立場が分かっていないようだな。俺に要求できると思っているのか」

「あなた様こそ、ご自分だけが上客だとお思いのようですね」

鈴霞は奥方に習った極上《ごくじょう》の愛想笑いをした。

「天仙飯庄は凱の建国以前より続く老舗です。おかげさまで、雲の上の方々には日頃からお引き立ていただいております。先程のお話が他のお客様にもれては、あなた様がお困りになるのでは？　貴人《きじん》のお声は玉《ぎょく》の音色と申しますので、主上の御耳に入るかもしれませんよ」

「小娘が。俺を脅しているつもりか」

男が凄《すご》んでみせたが、鈴霞は笑顔を崩さない。

「私は包丁を握るしか能のない女ですので、殿方《とのがた》のお相手をするのは不得手《ふえて》です。無礼を働いたのでしたら謝ります。申し訳ございません」

それでは失礼いたします、と拱手《きょうしゅ》して後ずさる。退室しようと扉に手をかけた瞬間。

「……証文を用意するのに一日かかる」

男は長椅子《ながいす》にどっかりと腰をおろした。

「明日、迎えをやるぞ。逃げるなよ。言うまでもないことだが、この件は」

「他言無用ですね。心得ております」

天仙飯庄で密談する高官は少なくない。会話は聞こえなかったふりが鉄則だ。

「……何だ、出ていくんじゃなかったのか」

扉の前で鈴霞がニコニコしているので、男がいぶかしんだ。

「新鮮な金眼銀魚《きんめぎんぎょ》が入ってきたばかりです。お酒のおともに、一品いかがです？」

主人曰《いわ》く、料理人には多少の商売っ気も必要だそうだ。


天仙飯庄にはとある富豪の邸《やしき》で料理修業してくると説明して、鈴霞は栄家に向かった。

一ヶ月の令嬢教育を経て栄宵麗になりすまし、皇宮《こうぐう》に上がる。

婚礼は五ヶ月後の秋。それまで東宮で皇太子・圭鷹と暮らすことになる。

入宮時、圭鷹は地方視察のため不在だった。東宮に入って二日後、鈴霞は班《はん》太后、皇帝、呉皇后に謁見《えっけん》した。御簾《みす》越しなので顔は見えない。

短い階《きざはし》の下に跪《ひざまず》き、にわか仕込みの礼儀作法《さほう》を駆使《くし》して挨拶《あいさつ》する。拝礼は完璧《かんぺき》だった。が、立ち上がる際に裙の裾《すそ》をむんずと踏みつけてしまい、思いっきりぶっ倒れた。

皇帝の御前《ごぜん》である。緊張するなというほうが無理な話だ。

大失敗に頭が真っ白になっていると、班太后が呆《あき》れたように溜息をついた。

「栄妃は足元がおぼつかないようですね」

嘲笑《ちょうしょう》まじりの言葉。左右に居並ぶ公主たちがくすくすと笑う。

（……ぶっ倒れた私が悪いんだけど、ばかにされるのは腹立つわ）

鈴霞はなよなよと体を起こし、燕子花《かきつばた》が刺繍《ししゅう》された上襦《じょうじゅ》の袖《そで》で面《おもて》を隠した。

「聖君《せいくん》の御前では神仙でさえも膝が笑うと申します。私のような取るに足らない小娘ならば、なおのこと。主上のご威光《いこう》に圧倒され、足がなえてしまったのでしょう」

公主たちの笑い声が消え、玉座《ぎょくざ》にいる皇帝が面白そうに笑った。

「余《よ》の威光がおまえの足をなえさせたのなら、余が立たせてやろう」

皇帝は御簾を上げさせ、玉座から降りた。冕冠《べんかん》の玉飾りが揺れる音とともに、天子の証《あかし》である漆黒《しっこく》の上衣下裳《じょういかしょう》が視界に入ってくる。手を差し出され、鈴霞はためらいがちに応じた。

「圭鷹が戻ってきたら、今日のことを話して聞かせよう」

こわごわ顔を上げると、皇帝と目が合った。四十を過ぎていると聞いていたが、三十代半ばに見える。気品のある顔立ちは優美で、高氏《こうし》に美男が多いというのは本当らしい。

「栄妃の前では威光を控えようと」

皇帝が笑ってくれたので、「うまいことごまかした！」と悦《えつ》に入《い》っていたのだ……が。

（……鵞鳥のせいで全部吹っ飛んだわよ）

あの日、鈴霞は皇太子妃らしく女官たちをぞろぞろ連れて散歩していた。身分が高い女人は裳裾《もすそ》を引きずりながらのろのろと歩くものらしいので、欠伸《あくび》が出そうな散歩だった。

というより、欠伸が出た。まさにそのときだ。庚申薔薇《こうしんばら》の茂みの陰から真っ白の鵞鳥が飛び出してきた。丸々と太ったおいしそうな鵞鳥を見るなり、鈴霞は駆け出した。

あらゆる生きものが食材に見える。これはもう料理人の性《さが》だ。

自分が深窓《しんそう》の令嬢の名札をさげていることをすっかり忘れ、鵟鳥を追っかけた。

その結果、予定より早く視察から帰ってきた圭鷹と鉢合《はちあ》わせしたのだ。

「……まあっ！　栄妃様、何をなさっているんです⁉」

「ちょっと死のうと思って」

鈴霞は花瓶《かびん》を持って部屋に入ってきたまあさんに微笑《ほほえ》みかけた。

梁《はり》に帯を引っかけて輪を作り、首をくくろうとしていたところだ。

鵟鳥事件からすでに一日経っている。

「例の件で正体がばれただろうし、早晩処刑を言い渡されるはずだから、さっさと済ませておくわ。あ、遺書はそこの机の上ね。じゃ、まあさん。お先に逝《い》ってきます」

「ばかなまねはおやめなさいませ！」

まあさんが極太大根のような腕で必死にしがみついてくる。

「処刑されると決まったわけじゃないでしょう！」

「決まったも同然よ。本物の宵麗お嬢様は虫も殺さないような深窓の令嬢なのに、私ったらボサボサ頭で鵟鳥を追いかけ回したんだもの。殿下に替え玉だって気づかれたわ」

「まあまあ、過ぎたことは仕方ありません。万一、殿下がお疑いになっているとしても、これから淑《しと》やかにふるまえば、お忘れになりますよ」

まあさんは栄家がつけてくれた側仕《そばづか》えなので、身代わりの事情は知っている。

「……今からでも挽回《ばんかい》できる？」

「ええ、そうですとも！　お姿は宵麗お嬢様にそっくりでいらっしゃるし、礼儀作法だってようく覚えておいでです。鵞鳥さえご覧にならなければ、完璧な令嬢でしたよ」

「そうなのよね。鵞鳥さえ見なければね——……にしてもあの鵞鳥、おいしそうだったわ」

思い出すと食欲がわいてくる。自害しようという気が失せてきた。

「死ぬのはいつでもできるし、もうちょっと頑張ってみるわ」

鈴霞は梁にくくりつけていた帯を外して、椅子の上からひょいと飛び降りた。

「やれやれ、正気に戻ってくださってようございました。さて、そろそろお支度《したく》を」

「お支度？」

「今夜は主上より夕餉《ゆうげ》を賜《たまわ》ることになっております。主上と呉皇后、皇太子殿下、明杏公主《めいあんこうしゅ》がお見えになりますので、栄妃様も盛装なさいませんと」

まあさんが鼻息荒く腕まくりする。襦裙《じゅくん》をひんむかれて着替えさせられた。

夕焼け色の生地に紅の麗春花《ひなげし》が咲いた上襦、綿雲のように柔らかい披帛《ひはく》。印金《いんきん》で吉祥果《きちじょうか》が描き出された裙《くん》は身動きするたびにキラキラ光を弾き、蝶を模《かたど》った佩玉《はいぎょく》がゆらゆら揺れる。

黒髪は傾髻《けいけい》に結われた。大小のふんわり丸い髷《まげ》を頭頂部よりやや斜めの位置に二つ並べる髪型だ。水晶が連ねられた簪《かんざし》と粒珊瑚《つぶさんご》があしらわれた髪飾りは、黒髪に映える黄金。

「動かないでくださいませ」

まあさんが鈴霞の額に花鈿《かでん》を描く。彼女の鼻の穴が膨らんだり縮んだりするのを見ているうちに、唇には紅がひかれ、瞼《まぶた》にはうっすらと臙脂《えんじ》がのせられていた。

「まあまあ、なんてこと！　呉皇后のお美しさが霞むほどの艶姿《あですがた》だわ！」

「それってまずいんじゃない？　皇后様より派手っていうのは」

鈴霞は鏡の前で小首をかしげた。まあさんは満足そうにしている。

「大丈夫です。呉皇后は寛大な御方ですから」

「にしても、こんな恰好《かっこう》でご飯食べられるの？　お腹が苦しいんだけど」

腰の細さを強調するために、帯がきゅっと締められている。

「お食事にはほんの少し手をつけるだけでよいのです。食事の作法や受け答えなどを主上と呉皇后にご覧いただくための晩餐《ばんさん》ですからね。くれぐれもがっつり食べないように」

まあさんが料理を確保しておいてくれるので、あとで改めて食事できるらしい。

「今更ながら緊張してきたわ。ねえ、まあさん。包丁貸してくれない？」

「は⁉　包丁ですか⁉」

「私、包丁を握ると安心するの。不安になったときはそうやって心を落ちつけるのよ」

両手がむずむずした。栄家で令嬢教育を受けているときは、包丁を全然握らせてもらえなかったので、かれこれ一ヶ月以上、包丁に触っていないことになる。

「包丁！　包丁が欲しい！」

「そ、そのようなことをおっしゃられても」

「私だめなのよ、包丁がないと……！　ああ包丁！　包丁があぁ……！」

不安がむくむくと膨らんでくる。晩餐の席で大失敗したら？　正体を見破られたら？　皇帝を謀《たばか》った罪で投獄されたら？　悪いことばかりを想像して、背筋がぞくぞくしてきた。

「やっぱり死んだほうがいいかも。どうせ死罪になるなら、さっさと自分で」

「まあまあ、どうしましょう！　厨房《ちゅうぼう》から取ってくれば……だっ、だめだわ。お妃様のお部屋に刃物は持ちこめないし……」

鈴霞が自害用の帯を握ってカタカタ震えると、まあさんはおろおろした。

「ちょっ、ちょっと待ってくださいね。よいしょっと……ええと、こんな感じかしら。ささ、栄妃様。こちらを包丁と思ってお持ちくださいませ」

まあさんが包丁の絵を描いて鈴霞に手渡した。それを見ていると、いくらか落ちつく。

「ありがとう、まあさん。この絵を持っていれば何とか乗り切れそう」

「まあっ！　いけませんわ、頬《ほお》ずりなどなさっては！　お化粧《けしょう》が台なしになるでしょう！」

包丁の絵に頬ずりしようとしたので、まあさんに止められた。

墨《すみ》が乾くのを待ってから丁寧《ていねい》に折り畳《たた》んでお守り代わりに懐《ふところ》に入れる。

「これでよしっと。さて、宵麗お嬢様になりきって晩餐を乗り切るわよ！」

元気よく意気込んだ数秒後に包丁の絵を取り出して眺めるのだった。

晩餐は皇后の住まいである恒春宮《こうしゅんきゅう》の大広間で開かれることになっていた。外朝《がいちょう》と後宮をつなぐ銀凰門《ぎんおうもん》をくぐって後宮に入る。といっても徒歩ではない。鈴霞は輿《こし》に乗っている。

太鼓橋《たいこばし》に差しかかったところで、女官たちに出会った。皆、道の端に避けて鈴霞に頭《こうべ》を垂れる。中でも一段と華麗《かれい》な装いの女官は見事な赤毛の持ち主だった。

「あの方、すっごく美人じゃない？　髪の色も珍しいし、顔立ちは北方系みたいね」

「古鹿昭容《ころくしょうよう》ですわ。北方の異民族、古鹿族出身の妃嬪《ひひん》です」

凱帝国の後宮には、皇后の下に十二妃がいる。皇貴妃《こうきひ》、貴妃《きひ》、麗妃《れいひ》、賢妃《けんひ》、荘妃《そうひ》、敬妃《けいひ》、成妃《せいひ》、徳妃《とくひ》、順妃《じゅんひ》、温妃《おんひ》、柔妃《じゅうひ》、寧妃《ねいひ》がそれである。その下の位は九嬪《きゅうひん》――昭儀《しょうぎ》、昭容、昭華《しょうか》、婉儀《えんぎ》、婉容《えんよう》、婉華《えんか》、明儀《めいぎ》、明容《めいよう》、明華《めいか》――と呼ばれる。

宮女《きゅうじょ》は数千人いるといわれるが、皇后に毎朝挨拶《あいさつ》することが許されているのは、十二妃と九嬪のみだ。昭容は九嬪の第二位。決して低い位ではない。

「主上の寵妃《ちょうひ》様？　降りて挨拶したほうがいい？」

「いいえ。皇太子殿下の正妃様がへりくだってご挨拶なさるべきは、皇后様お一人です」

「でも、寵愛《ちょうあい》を受けている方なんでしょう？　素通りしたら生意気だと思われない？」

「古鹿昭容は寵愛を受けておりません。何でも、初夜の床に刃物を持ちこんだとか」

その話を詳しく聞こうとしたが、まあさんは黙ってしまった。

恒春宮に到着するなり、鈴霞は呉皇后と明杏公主に挨拶した。

別室で皇帝と圭鷹の到着を待ってから、女官や宦官《かんがん》を引き連れて大広間に移動する。

（まるで西王母《せいおうぼ》の宮殿だわ）

大広間には水晶の屏風《びょうぶ》がめぐらされていた。飛龍《ひりゅう》を模《かたど》った黄金の燭台《しょくだい》が数百の火でそれらを照らし、装飾天井で戯《たわむ》れる鸞鳳《らんぽう》と百花《ひゃっか》を燦然《さんぜん》と輝かせている。

「上ばかり見ていると転ぶぞ」

圭鷹に声をかけられてびくっとした。四爪《しそう》の龍が縫《ぬ》い取られた孔雀藍《くじゃくらん》の長衣《ちょうい》に、銀刺繍《ぎんししゅう》が襟《えり》を飾る踝《くるぶし》丈の外衣《うわぎ》。皇太子の風格を感じさせる威風堂々とした装いに気おされた。

（……お願いですから、こっち見ないでください……）

疑わしげな眼差《まなざ》しが突き刺さる。鈴霞は冷や汗をかいて、梅花模様の絹団扇《きぬうちわ》で顔を隠した。

皇帝が食卓に座すのを見届けたのち、位に応じて着席した。

極彩色《ごくさいしき》の衣で着飾った楽師《がくし》たちが箏《そう》や簫《しょう》を奏で始めたら、いよいよ晩餐である。

宮廷料理は、とかく品数が多い。

主食八種、副食二十皿、飲み物が六種、酒は二種、点心《てんしん》が二種。これは最も簡略化された普段の食事であって、宴《うたげ》では点心だけで百二十品を数え、主食や副食もそれに準じて増える。

今夜は通常の二倍の器が用意されていた。

鶏肉の牛乳煮、白子《しらこ》と卵の羹《スープ》、海老《えび》の蒸し物、家鴨《あひる》の直火《じかび》焼き、鱘《ちょうざめ》のあんかけ等々。

本物の宮廷料理を前にして、鈴霞は大興奮だった。やんごとなき人たちに囲まれていることをすっかり忘れ、宮廷料理人が生み出した美食の数々に舌鼓《したづつみ》を打つ。

（うそ、信じられない！　鯉《こい》をこんなふうに味付けするなんて！）

からりと姿揚げにした鯉。黒瑪瑙《くろめのう》を溶かしたような甜醬《あまみそ》だれがたっぷりかけられている。たれには砕いて炒《い》った胡桃《くるみ》と刻んだ浅葱《あさつき》が混ぜこまれていた。香ばしさと上品な辛味《からみ》が淡白《たんぱく》な鯉の肉によくからみ、一口食べるごとに笑みがこぼれる。

「……様、栄妃様」

そばに控えたまあさんに呼ばれて我に返る。顔を上げると、皇帝、圭鷹、呉皇后、明杏の視線が自分に集中していた。もしかして、話しかけられていた？

「栄妃は食事を味わうのに忙しいようだな」

一段高い食卓に座す皇帝が苦笑していた。

天子だけに許された五爪《ごそう》の龍が浮き出る豊麗《ほうれい》な衣装。内輪の宴であるためか、十二旒《りゅう》の冕冠《べんかん》はつけていない。青玉製《せいぎょくせい》の箸《はし》を持つ手には、猫目石《ねこめいし》の指輪が光っていた。

「も、申し訳ございません。宮中のお料理があまりにおいしいので、つい……」

鈴霞が慌てて居住まいを正すと、呉皇后がぽんと手を叩いた。

「そう！　宮廷料理っておいしいのよね。私も入宮して最初の宴では食べすぎたわ。どれもおいしそうで目移りするでしょ。欲張って食べて、あとでお腹が痛くなったのよ」

呉皇后は無邪気にふふふと笑った。四十近いはずだが、三十手前にしか見えない佳人《かじん》だ。

金襴《きんらん》の衣装に織《お》り出されているのは、高貴な身分にふさわしい大輪《たいりん》の牡丹《ぼたん》。大きな濡羽色《ぬればいろ》の髻《もとどり》には五羽の鳳凰《ほうおう》が並び立つ髪飾りが光り輝き、華やいだ容姿を引き立てている。

「まるで今は食べすぎていないかのような口ぶりだな、彩燕《さいえん》」

皇帝は隣の食卓に座している呉皇后を親しげに見やった。

「この頃は控えめにしていますよ。健康のことを考えて」

「その割には、料理の減り具合が早いような気がするけどね」

「あら、言われてみれば。きっと御膳房の料理人が私の器だけ少なめに盛ったのね」

あとで叱っておかなくちゃ、と呉皇后は冗談めかして笑う。

食欲旺盛《おうせい》な皇后だ。ずらりと並んだ皿のほとんどが空《から》になっていた。

(主上はあんまりお召し上がりにならないみたい)

皇帝はそれぞれの皿に万遍《まんべん》なく手をつけていたが、どれも箸をつけるのは一度だけだ。

そうするのが規則だというように、一口ずつしか味わわない。

(公主様は野菜が苦手なのね)

十六歳の明杏公主はどこかあどけなさの残る美少女である。

沈丁花《じんちょうげ》が刺繍された上襦《じょうじゅ》に、青嵐《せいらん》を思わせる白緑《びゃくろく》の裙を合わせた、公主にふさわしい上品な身なりだが、食卓の下では足をぶらぶらさせている。野菜嫌いらしく、人参《にんじん》や葱《ねぎ》を避けて肉ばかりを好んで口に運んでいるのも、幼い印象を強めるのに一役買っていた。

とまあ、ここまでは予想の範囲内。

（……なんで皇太子殿下は一品だけなの？）

圭鷹の長卓《ちょうたく》は鈴霞の食卓と向かい合う恰好《かっこう》で置かれている。四爪の龍が彫刻された紫檀製《したんせい》の長卓なのだが、いったいどういうわけか、皿は一枚だけだ。

鮮やかな蓮《はす》の花の文様が美しい青磁《せいじ》の皿である。しかし、盛られている料理は……。

（え⁉　あれって……奈落芋《ならくいも》⁉）

間違いない。茹《ゆ》でた奈落芋だ。しかも皮つきで、ぶつ切りにされている。

奈落芋は庶民《しょみん》の食べ物だ。やせた土地でも育ち、一年中収穫でき、他のものは食べなくても十分なほど栄養が豊富。穀物《こくもつ》や肉が買えない貧しい民は奈落芋を主食にしている。

はっきり言って、奈落芋はまずい。ぼそぼそとした食感で、独特の臭《くさ》みがあり、うんざりするほど苦いのだ。とりわけ薄紫色の皮は苦味が強いので、通常は身だけを食べる。

にもかかわらず、圭鷹は皮つきの奈落芋をもぐもぐと食べている。眉間《みけん》に皺《しわ》を寄せているのは奈落芋がまずいからか、もともと怒ったような顔つきだからか。

（どうして皇太子様が奈落芋なんか食べてるのよ⁉）

奈落芋は貴人《きじん》が口にするものではない。他の食卓にはさまざまな料理が並んでいるのに、なぜ圭鷹の食卓は天下一まずい奈落芋のみなのだろうか。

(……まさか、殿下って家族からいじめられてるんじゃ……)

皇帝と呉皇后は料理を勧め合って和《なご》やかに会話している。明杏は肉料理の合間に果物をつまんで、酸《す》っぱすぎるだの甘すぎるだのと文句を言っていた。

圭鷹は黙々と奈落芋を食べている。しかめっ面《つら》で。

(かわいそう……。皇太子なのに奈落芋しか食べさせてもらえないなんて)

おまえは奈落芋でも食っていろ、あなたには奈落芋しかないわよ、お兄様なんて奈落芋で十分よ――などという台詞《せりふ》が浮かんできて、鈴霞は泣きたくなった。

生来、涙もろい。他人の身の上話や苦労話を聞くとすぐに感情移入して、おいおいと泣いてしまう。家族から爪弾《つまはじ》きにされる圭鷹を不憫《ふびん》に思い、目尻ににじんだ涙を手巾《しゅきん》で拭《ぬぐ》った。

鈴霞は席を立った。まだ手をつけていなかった皿を持ち、圭鷹の食卓に歩み寄る。

「殿下、こちらをどうぞ」

細切り羊肉の炒《いた》めもの。茸《きのこ》の風味と花椒《さんしょう》の爽《さわ》やかな香りが食欲をそそる一品だ。

「何のまねだ?」

圭鷹はいぶかしげに鈴霞を見た。父親似の美貌《びぼう》は剣呑《けんのん》な色を帯びている。

「私、少食であまり食べられないのですわ」

「残った料理は女官や宦官に下げ渡せばいいだろう」

「殿下に召し上がっていただきたいのです」

「せっかくだが、結構だ。私には自分の食事がある」

「でも、それは激マズ芋……ではなくて、味見をなさるおつもりでいかがでしょう」

「いらないと言っている。食べたければ君が食べなさい」

なおも勧めようとしてやめた。意地悪な家族の手前、勧められても遠慮《えんりょ》するしかないのだ。

「では、あとでお部屋にお料理を届けますね」

「……は？」

鈴霞が小声で耳打ちすると、圭鷹は形の良い眉《まゆ》をはねあげた。

「ご心配なく。主上や皇后様には秘密にしておきますから」

にっこりして自分の席に戻る。何事もなかったかのように食事を再開すると、皇帝と呉皇后が意味ありげに視線を交し合ってくすくす笑った。

「栄妃もおかしいと思うでしょう」

呉皇后は桃の皮をむいて皇帝に食べさせている。

「圭鷹ったら年がら年中、奈落芋ばっかり食べているのよ」

「年がら年中……って、ま、毎日ですか⁉」

「奈落芋以外を食べるのはせいぜい祝宴のときくらいか。かれこれ六年になるな」

「いい加減にしてほしいわ。奈落芋しか食べないから、お兄様ってば芋太子なんて美しくないあだ名をつけられて。おまけに妾《わらわ》まで芋太子の妹って呼ばれてるのよ」

明杏は苛立《いらだ》たしげに箸《はし》を置き、口直しの漿水《ジュース》をあおった。

「だいたい、食事のたびに奈落芋を毒見させられる央順《おうじゅん》がかわいそうよ。お兄様は奈落芋が好きなのかもしれないけど、央順は違うんだからね。まともなものを食べさせてあげて」

央順、というのは圭鷹の毒見係だとまあさんが横から教えてくれた。

めいめいの食卓には、毒見係が控えている。皇帝には五人の宦官が、呉皇后には三人の女官が、明杏には二人の女官がついていた。圭鷹の傍《かたわ》らにいるのは頭巾で顔を隠した男で、年齢は分からない。頭巾からのぞいているのは、目元と口元だけだ。

「どうぞお気遣いなく。殿下を毒からお守りするのが私の務めですので」

すらりとした若々しい体つきに似合わず、央順の声はひどくしゃがれていた。

「あとで部屋に料理を運ぶ必要はないぞ、栄妃」

圭鷹は冷淡に言った。相変わらず奈落芋をもぐもぐしている。

「私は好き好んで激マズ芋を食べているんだ」

端午節《たんごせつ》の宴《うたげ》は離宮の園林《ていえん》で催《もよお》される。数々の出し物の中で最も注目を集めるのは競渡《きょうと》だ。

本来、屈強な男たちが龍をかたどった舟に乗って速さを競い合うものだった競渡が、呉皇后

の発案で宮女《きゅうじょ》たちにも開放されるようになって久しい。目も綾《あや》な衣装をまとった美姫《びき》たちが鳳《ほう》凰《おう》の舟をこぐ様は、さながら天宮《てんきゅう》の池で見られる仙女の舟遊びであった。

「どうもおかしい」

圭鷹は菖蒲酒《しょうぶざけ》がなみなみと注がれた杯を傾けた。

呉皇后の傍らで、栄妃は慎ましく椅子《いす》に腰かけている。涼やかな露草《つゆくさ》色の襦裙《じゅくん》には白蓮《びゃくれん》が咲き乱れ、生花を挿した高髻《こうけい》では金緑石《きんりょくせき》の垂れ飾りが微風《びふう》を受けて雨粒のように揺れていた。美麗《びれい》な装いに負けぬ花の顔《かんばせ》は、広大な池で舟をこぐ宮女たちに向けられている。

「兄上、あの女は本当に栄宵麗か？」

隣にいる異母兄、高猟月《りょうげつ》に話しかけたが、返事がない。圭鷹は兄の鼻先でさっと扇子《せんす》を開いた。銀箔《ぎんぱく》を散らした竹林が視界を覆《おお》い、猟月はむっとしたふうにこちらを向く。

「何だよ。せっかくいい気分で仙女を眺めていたのに」

不満げに眉根を寄せた精悍《せいかん》な容貌《ようぼう》は、若い娘たちが見惚《みと》れる類《たぐい》のものだ。長衣の襟元《えりもと》をくつろげ、長い脚を無雑作《むぞうさ》に投げ出した恰好も妙に絵になる。

猟月は名家出身の程昭儀《ていしょうぎ》の子である。長子だった猟月が立太子《りったいし》されなかったのは、程氏《ていし》が圭鷹を身籠《みご》っていた呉氏《ごし》に危害を加えようとして、父帝の逆鱗《げきりん》に触れたためだ。貴妃《きひ》として後宮を仕切っていた程氏は降格され、九嬪《きゅうひん》の第三位・昭華《しょうか》になり、のちに昭儀になった。

今もって程家と呉家は険悪だが、当の猟月と圭鷹は幼い頃から気の置けない仲だった。圭鷹が十五で皇太子に冊立《さくりつ》されてから五年経った現在も、その関係は変わらない。

「栄妃をどう思う？」

「美人だな。かなり好みだ」

「兄上の好みなんか聞いていない。彼女が本物の栄宵麗だと思うかどうか尋ねている」

「偽物だっていうのか？」

猟月は荒っぽく菖蒲酒をあおって、粽《ちまき》をかじった。

「栄宵麗は深窓育ちの令嬢だ。髪を振り乱して鵞鳥《がちょう》を追いかけるはずがない」

「それ、俺も見たかったよ。水雅のやつも隅に置けないよな。美人に追っかけられるとは」

猟月は面白がって肩を揺らしたが、圭鷹は眉間に皺《しわ》を寄せる。

「栄宵麗は入宮前に使用人と駆け落ちしたという噂《うわさ》を聞いた」

「事実だったのか？」

「少なくともこの二月《ふたつき》の間に使用人が一人消えているのは事実だ」

「しかし、栄宵麗はここにいる」

「栄宵麗と名乗っている女はいる。本人かどうかは分からない」

ここ数日見てきた栄妃の不可解な行動を振り返ってみる。

まず、裙の裾《すそ》をからげて鵞鳥を追いかけ回していた。父帝がもうけた晩餐《ばんさん》の席では、呉皇后が話しかけたことにも気づかないほど食事に没頭していた。食事中「これはどんな調味料を使っているんだろう」などとつぶやいていた。東宮で会うときは笑顔を張りつけているが、ときどきぼーっとして瞬きもしなくなったり、どことなくびくついたりしていた。

「入宮したばかりだから緊張してるんじゃないか」

「緊張して鷲鳥を追いかけるなんて聞いたこともない」

「深窓の令嬢っていう評判自体が間違っていたのかもな。ほら、呉皇后の例もあるだろ」

圭鷹の母、呉彩燕は女訓書《じょくんしょ》が称賛するようなおとなしい婦人ではない。男顔負けに武芸をたしなみ、狩場に繰り出しては武官たちと獲物の数を競い合う女丈夫《おんなじょうぶ》だ。

そんな母も入宮して一年ほどは猫をかぶっていたという。

「呉皇后みたいなはねっ返りは好みじゃないのか？」

「政略結婚だぞ。好みは関係ない」

皇位につくことが約束されている以上、結婚は責務である。皇太子の花嫁を決めるのは皇帝なのだから、父帝に栄宵麗を娶《めと》れと命じられたら従うまでだ。

好きだの嫌いだのと言うつもりはないが、偽物と結婚するつもりもない。

（……何を見ているんだ？）

疑いの目でじっと観察していると、栄妃が紙切れを出して膝の上で広げた。紫薇《さるすべり》が刺繍《ししゅう》された絹団扇《きぬうちわ》で隠すようにして、こっそり紙面を見ている。

怪しい。怪しすぎる。

（きちんと調べる必要があるな）

もし偽の花嫁だったら、厳罰に処さねば。栄家はいうまでもなく、あの女自身もだ。


鈴霞は包丁を渇望《かつぼう》していた。寝ても覚めても包丁のことばかり考えている。写経をすれば「包丁包丁包丁包丁……」と書いてしまうし、牡丹を刺繍するはずがいつの間にか包丁を刺繍してしまうし、碁《ご》に興じれば碁石を包丁の形に並べてしまう。包丁の絵の効果もしだいに薄れてきた。包丁から離れて一月半。もはや限界である。

「あっ！　ねえ見て、まあさん！　あの雲、包丁にそっくりよ！」

太鼓橋《たいこばし》の真ん中で立ち止まり、鈴霞は空を指さした。

「おいたわしいこと。栄妃様ったら、ありもしない雲をご覧になって」

まあさんは呆《あき》れていた。今日は雲一つない快晴なのである。

「ふふ、包丁包丁、あんな包丁あったらいいな。刃が鋭くて、柄がしっかりしてて――」

下手《へた》な拍子をつけて歌うように話していたが、ふいに正気に戻って絶望する。

「……包丁を握れないなら、生きてたって意味ないわ。いっそここから飛び降りて」

「欄干《らんかん》に足をかけるのはおやめなさい。はしたないですよ」

「はあ……今まで毎日握ってたから包丁がない生活がこんなに辛《つら》いなんて知らなかった……」

欄干にもたれて物憂《ものう》げに眉をひそめる細面《ほそおもて》は、恋しい男を想う乙女《おとめ》の顔さながらだが、鈴霞の心を占《し》めているのは、骨付き肉が易々と切れる大型の包丁なのだった。

「困りましたわねえ。青膳房《せいぜんぼう》に栄妃様を出入りさせるわけにはまいりませんし……」

「青膳房って……東宮の厨房《ちゅうぼう》よね⁉　どこにあるの⁉」

鈴霞はにわかに元気になった。厨房には包丁がある！

「青膳房は殿下の許可なく使えませんし、この頃は殿下しかお使いになっていません」

「え？　殿下が調理場にお立ちになるの？」

「ご自分でお召し上がりになるものは、御自らご用意なさるそうですわ」

……あのまずそうな奈落芋《ならくいも》は圭鷹自身が茹《ゆ》でたものなのか？


夜、鈴霞は青膳房に忍びこむことにした。

（まあさんには止められたけど、もう我慢できないわ）

包丁を盗むつもりはない。少しの間、手に取って眺めたいのだ。

夜着姿で臥室《しんしつ》を抜け出し、月明かりの下をてくてく歩いていく。青膳房らしき瑠璃瓦《るりがわら》の建物が視界に入ってきた。碧水彩雲《へきすいさいうん》が描かれた朱塗りの壁は、はっとするほど色鮮やかだ。

（……こんな時間に畑仕事？）

青膳房裏の畑に人影がある。二つとも長身の男と思われた。二人は鍬《くわ》を振るっている。

（困ったわ。あの人たちがいると厨房に近づけないじゃない）

身を隠して様子をうかがっていると、一人が物陰に消えた。残った一人は鍬を置いてしゃがみこむ。何をしているのだろうと目を凝《こ》らしたとき、背後で物音がした。

「何者だ」

腕をつかまれ、鈴霞はギャーっと叫んだ。色気のない悲鳴だと自分でも思う。

「わっ、わ、私は決して怪しい者じゃありませんよっ。わ、悪さなんてしてませんからねっ。包丁を求めて徘徊《はいかい》してただけで……あ、殿下」

言い訳を探しながら振り返ると、圭鷹が怪訝《けげん》そうに眉根を寄せていた。

皇太子ともなると、夜着にも龍紋《りゅうもん》が入っているらしい。黒髪を低い位置で束ねているせいか、昼間の印象とは違っていたが、生まれの貴《とうと》さを感じさせる美貌《びぼう》は普段通り機嫌が悪そうだ。

「栄妃、『包丁を求めて徘徊してた』とは、どういうことだ？　まさか暗殺でも」

「まあっ、殿下ったら、どうして鍬などお持ちなのです⁉」

「これか。奈落芋を掘っていたからだ」

「芋掘り……⁉　皇太子殿下が⁉」

「皇太子が芋掘りしてはいけないのか」

むっとしたふうに言い返され、鈴霞はきょとんとした。

「もしかして、ご自分で奈落芋を調理なさっているというのは、本当なのですか……？」

「調理というほどたいそうなことはしてない。切って茹でるだけだ」

「殿下、終わりました。これくらいでよろしいでしょうか」

畑のほうから頭巾で顔を隠した青年がやってきた。央順だ。彼が背負った籠《かご》には泥つきのごつごつした奈落芋がどっさり入っている。

「ああ、十分だ。厨房に運んでくれ」

圭鷹は外衣《うわぎ》を脱いで、鈴霞の肩にかけてくれた。

「女が夜更けにそんな恰好《かっこう》で出歩くものではない」

そんな恰好、とは夜着姿のことのようだ。

「……殿下！」

立ち去ろうとした圭鷹をとっさに呼び止めた。

彼が着せてくれた外衣はほんのり温かい。彼の心もこんなふうに温かいだろうか。

「もしよろしければ、殿下が調理なさるところを見せていただけませんか」

「見てどうする？」

「お料理をなさる旦那様《だんなさま》なんて素敵ですわ。ぜひ拝見したいのです」

とびっきりの微笑を見せると、圭鷹は苦虫《にがむし》を嚙《か》み潰したような顔をした。

「……好きにしろ」

青膳房はいくつもの建物から構成されている。

圭鷹が向かったのはそのうちの一つ、奥まったところに位置する横長の建物だった。央順が玻璃《はり》製の宮灯《きゆうとう》に火を入れてくれるので、室内がぽっと明るくなる。

（さすが東宮の厨房ね－。うちの店のよりずっと広いわ）

高鳴る胸を押さえつつ、鈴霞は室内を見て回った。

大小の竈《かまど》がずらりと並ぶ景色は壮観である。ざっと数えて五十基《き》はありそうだ。さまざまな種類の鍋《なべ》やまな板、蒸籠《せいろ》、壺《つぼ》や鉢《はち》などの調理器具は棚《たな》に整頓《せいとん》されている。調理台は竈と同じ数が並んでいた。材質は黄花梨《おうかりん》で、雲龍文《うんりゆうもん》が浮き彫りにされた趣《おもむき》のあるものだ。

（包丁！）

鈴霞は圭鷹が調理台に包丁と丸いまな板を出すのを見て、ぱたぱたと駆け寄った。骨付き肉を切る刃が厚めの包丁ではなく、野菜などの柔らかいものを切る薄刃の包丁だ。

（こっ、これ、尹伯《いんはく》!?）

尹伯とは、数代前の皇帝に仕えた鍛冶《かじ》職人である。尹伯が作った包丁は、あたかも風を切るようにあらゆる食材を切ることができたという。尹伯の弟子たちがその技術を受け継いだため、尹伯と銘《めい》を切られた包丁は、今もなお最高の包丁として知られている。

（皇太后様のお抱え料理人、唐仲来《とうちゆうらい》が使ってた包丁と同じ銘柄《めいがら》！）

鈴霞は奈落芋を切ろうとしていた圭鷹の手から、包丁をもぎ取った。

「想像してた以上に素敵ね……！　この艶《つや》、形、重さ……ああ何もかも完璧《かんぺき》！」

白銀のような光沢《こうたく》を帯びた刀身、鋭利でありながら優美な刃先、繊細な木目が映える艶やかな黒檀《こくたん》の柄。包丁というより、もはや美術品だ。

美男子に見惚《みと》れるかのようにうっとりと溜息をついた後で、はっとする。

「早速、切れ味を試してみなくちゃ！　えーと、何か……あ、こんなところに奈落芋が」

「質問してもいいか？」

刺々《とげとげ》しく言い、圭鷹は鈴霞の手から包丁を奪い返した。

「君はなぜ尹伯など知っているんだ？」

「あっ……そ、それは……」

まずい。心の声がダダ漏《も》れだった。

「恋しい男であるかのように包丁を見ていたが、そんなに好きなのか」

「……え、ええ……実は私、こう見えて包丁愛好家ですの」

圭鷹がうさんくさそうに視線を投げてくるので、鈴霞は笑顔でごまかすことにした。

「亡き母の影響で包丁が好きになってしまって。趣味で集めているのです」

「妙だな。君の母君はご存命のはずだが」

ぴきり、と笑顔がきしむ。

「お、お料理を始めてください。私はこちらで見ていますから」

圭鷹は怪しんでいたが、何も言わずに調理に取りかかった。洗った奈落芋を半分に切っていく。その手つきはどこか危なっかしい。皮もむかないし、大きさもまちまちだ。

央順が竈で湯を沸かすと、圭鷹は適当に切った奈落芋を湯の中にざーっと入れた。

山賊《さんぞく》の料理かと目を疑うくらい、雑な仕事ぶりである。

茹で終わると、圭鷹は餐叉《フォーク》で一つ一つ突き刺して白磁《はくじ》の皿に取り出した。見るからにまずそうだ。薄紫色の皮がしっかりついているから、舌に穴が開きそうなほど苦いに違いない。

黙って見ていたが、鈴霞はとうとう我慢できなくなった。

「ここが調味料の棚ですか？」

「そうだが……あちこち触るのは――何をしている」

動きにくいので圭鷹が着せてくれた外衣《うわぎ》は脱いだ。無数の抽斗《ひきだし》を備えた背の高い棚から、生姜《しょうが》や花椒《さんしょう》、塩壺、油壺などを取り出し、鍋と玉杓子《たまじゃくし》、すり鉢を調理台に並べる。

「勝手なことはするな。奈落芋はそのまま――」

「ちょっとどいてください。まず、皮をむきますから」

皿に盛られていた奈落芋を桶《おけ》の水に入れた。火が通って柔らかくなっているため、手で皮をむく。薄黄色の身の部分はさいの目切りに。ついで生姜を刻み、鍋を火にかける。

ごま油で花椒を炒《い》ると、胸がすくいい香りがしてくる。焦がす前に取り出してすりつぶす。

続いて刻んだ生姜を手早く炒め、香りが出てきたところで火力を強めた。

水気を切った奈落芋を鍋に流しこむと、ジュッと小気味よい音がする。強火で炒めながら花椒や塩などで味をつけ、酒と水を入れてトロトロになるまで煮込んでいく。

最後に黒酢を二匙《さじ》垂らして玉杓子で軽くかき混ぜたら、奈落芋の羹《スープ》が完成だ。

味見すると、すがすがしい辛味《からみ》とまろやかな酸味で、奈落芋の苦味が和《やわ》らいでいた。牛豚で湯《だし》を取るか、家鴨《あひる》と一緒に煮込めばもっと味が良くなるが、材料がないので仕方ない。

「どうぞ。食べやすくなっているはずですわ」

牡丹唐草《ぼたんからくさ》が絵付けされた碗《わん》で羹を勧める。圭鷹は受け取らなかった。

「そんなものを作れと命じた覚えはない」

「命じられた覚えはありません。おいしく召し上がっていただきたいので作りました」

なおも圭鷹が受け取らないので、鈴霞は央順のほうを向いた。

「あなたは殿下の毒見役でしたわね。こちらを毒見していただいてもよろしいかしら」

「口をつけるな、央順。もし毒でも入っていたら」

「作るところをご覧になっていたでしょう？　私が毒を入れていましたか？」

強気に言い返す。圭鷹は溜息をついて奈落芋をぞんざいに切り始めた。

どうぞ、と勧めると、鈴霞の笑顔に気おされたのか、央順はためらいがちに碗を受け取った。ふんわりと湯気の漂う羹を控えめに匙《さじ》ですくい、おそるおそる口に運ぶ。

「苦味がだいぶ薄れているはずですが、いかがでしょう」

「……これ、本当に奈落芋ですか？　全然苦くないですよ」

央順は二口、三口と食べる。あっという間に碗が空《から》になった。

「申し訳ありません。もう一杯いただけますか。殿下の分がなくなってしまったので」

鈴霞は喜んでおかわりをよそった。央順は一口食べてから圭鷹に碗を渡す。

「毒は入っておりません」

圭鷹はいぶかるように鈴霞を見た。いかにもしぶしぶ羹に口をつける。眉間《みけん》に寄っていた皺《しわ》がわずかに緩み、また深くなった。

「お口に合いますか？」

「……食えないことはない」

ぶっきらぼうに答え、しばし黙々と羹を食べる。

「栄家では、君が料理人の代わりを務めているのか？」

「いえ。料理人はいますが、私はお料理が好きなので、ときどき厨房に立っていました」

「ときどき？　それにしてはやけに手慣れていたな」

「も、もう一杯ついで差し上げますわ。さあ、お碗をください」

探るような眼差《まなざ》しを微笑で受け流し、鈴霞は空の碗を羹で満たした。その様子を央順が物欲しそうに見ているので、新しい碗《かわ》を出して彼にもたっぷりよそってやる。

「辛味のある羹ですから喉《のど》が渇くでしょう。お茶をお出ししますわ。茶器《ちゃき》はどちらかしら」

「茶器は別棟です。ご案内いたします」

央順が調理台に碗を置くと、圭鷹が止めた。

「私が案内しよう。央順はここで竈《かまど》の番をしていてくれ」

鈴霞は圭鷹と連れだって厨房を出た。夜風にすっと首筋を撫《な》でられ、小さなくしゃみをしてしまう。温かい調理場から出たので、急に体が冷えたのだ。

圭鷹はいったん屋内に戻り、外衣《うわぎ》を持ってすぐに出てきた。

「着なさい。風邪《かぜ》をひくぞ」

「ありがとうございます、殿下」

彼が外衣を着せてくれた。鈴霞が礼を言っても、圭鷹は険しい面持《おもも》ちを崩さない。

(優しいんだか、冷たいんだか、よく分からない人ね)

鈴霞を気遣ってくれるほど親切なのに、態度は不親切でそっけない。見るたびに不機嫌そうな顔をしているが、これが地顔？　それとも鈴霞の相手をするのがいやなのだろうか。

合歓木《ねむのき》が植えられた内院《なかにわ》。圭鷹が小道を歩いていくので、鈴霞は後ろからついていった。

「料理が好きなら、厨房も好きだろうな」

「はい！　結婚したいくらい大好きです！」

元気よく失言をかました。慌てて口をつぐんだが、圭鷹は咎《とが》めない。

「青膳房《せいぜんぼう》を使いたいなら、そうしてもかまわない」

「えっ⁉　いいんですか⁉」

前言撤回。冷たいなんてとんでもない。ものすごく優しい人ではないか。

「ただし、私の食事には一切かかわらないでくれ。今夜のようなことは、二度とないように」

「なぜですか？　さっきの羹《スープ》がお口に合いませんでした？」

おいしいとは言わなかったけれど、二杯分ぺろりと平らげていたのに。

「口に合う合わないは、関係ない」

圭鷹は立ち止まって振り返った。冴え冴えとした瞳で鈴霞を射貫《いぬ》く。

「他人が作ったものを口に入れたくない。ただそれだけだ」


翌日から鈴霞は青膳房に通いつめた。

一日中、調理場に立つことはできないが、班太后や呉皇后のご機嫌伺《うかが》い、太廟《たいびょう》での拝礼等の務めが終われば、いくらか自由になる。そのわずかな空き時間で青膳房に入り浸った。

「まったく、どうしてこんなことになるんだか」

竃の前にでんと陣取り、まあさんは眦《まなじり》をつり上げた。

「皇家《こうか》に限らず、良家のご夫人やご令嬢は厨房に立たないものなんです。もちろん、宵麗お嬢様だって厨房に足を踏み入れたことさえありませんでしたよ。自分で包丁を持って食事を作るなど、庶民《しょみん》の夫人がすることです。栄妃様がなさるべきではありません」

「殿下が許してくださったんだからいいのよ」

鈴霞はサクサクと楽しげな音を立てて冬瓜《とうがん》を拍子木《ひょうしぎ》切りにしていく。

「そういう問題ではありませんよ。そもそも、皇宮では宵麗お嬢様になりきっていただかなくてはいけないのですから、もっと……そろそろ蒸し上がったんじゃないでしょうかねえ」

ままあさんは蒸気を上げる蒸籠のほうを向いた。

「まだよ、まあさん。さっき火にかけたばかりじゃない」

「包子《まんじゅう》ってずいぶん時間がかかるんですねえ」

蟹肉《かににく》の包子を蒸しているのだ。蒸し始めたばかりなのに、気になってしょうがないらしい。

小言をつぶやきながら、チラッチラッと見ている。

（やっぱり厨房は落ちつくわ）

厨房で身に着けるのは、筒袖《つつそで》の上襦《じょうじゅ》と踝《くるぶし》丈の裙《くん》。前者は清楚《せいそ》な薄紅の蓮《はす》が、後者は真っ白な菱《ひし》の花が縫《ぬ》い取られた優麗《ゆうれい》な衣装だけれど、どちらも妃の正装に比べれば動きやすい。

「栄妃様、そちらは何を作っていらっしゃるんです？」

「冬瓜を蜜煮にするの。火腿《ハム》を使えばもっとおいしいけど、火腿は高いから豚肉を使うわ」

慣れた手つきで冬瓜を切り終え、豚肉を角切りにする。それらを鍋に入れ、酒と蜂蜜でじっくり煮込む。豚肉のうまみと蜂蜜の甘さが染みた冬瓜は、舌が蕩《とろ》けるようにおいしい。

（お客様に出す料理じゃないから、高級食材は使えないものね）

主に圭鷹しか調理しない青膳房には、最低限の食材しか置いていないため、材料は御膳房からもらってきたものだ。

天仙飯庄なら高価な火腿を使うところを豚肉で代用し、包子の餡《あん》は蟹料理に用いられた蟹の余った部分を寄せ集めて作った。圭鷹の厚意で青膳房への出入りを許された身だから、それなりに遠慮《えんりょ》して高級食材は避けている。

「うまそうな匂《にお》いがするなあ」

戸口のほうからのんびりした声が聞こえてきて、鈴霞は玉杓子《たまじゃくし》を動かす手を止めた。淡藤色《あわふじいろ》の長衣《ちょうい》を着た青年が扉にもたれてこちらを眺めている。

「登原王《とうげんおう》殿下」

蒸籠を見つめていたまあさんが大慌てで礼を取った。

（登原王って、皇太子殿下のお兄さんよね）

会うのは端午節の宴以来だ。圭鷹と違って、気さくな印象の青年である。日に焼けた精悍《せいかん》な顔立ちは笑うと少年のようで親しみやすく、宴席では女官たちの注目の的《まと》だった。

「何を作ってるんだ？」

「蟹肉の包子と、冬瓜と豚肉の蜜煮、それから豆腐と莢豌豆《さやえんどう》の湯《スープ》ですわ」

鈴霞は隣の鍋のふたを開けた。鶏がらでとった毛湯《だし》の中で、みじん切りにした椎茸《しいたけ》と一口大にちぎった豆腐がゆらゆらと泳いでいる。そろそろ火から上げておくか。碗に盛ったら、緑の糸のように細い千切り莢豌豆を飾りつける。彩りは綺麗《きれい》で、味はさっぱりしている。

「うまそうだな。俺もお相伴《しょうばん》にあずかっていいか？」

登原王は鍋をのぞきこんで喉を鳴らした。

「皇子様にお出しするようなお料理ではありませんわ」

「気取った料理は苦手でね。庶民の味のほうが好みなんだ。任国《にんごく》に行くと必ず市井《しせい》をぶらぶらするんだが、張婆《ちょうばあ》さんの素麺《そばや》店を通りすぎたことはない。ここの串焼き麺《そば》がうまいんだよ」

「串焼き麺！　私の大好物ですわ。登原国だったら辣椒《とうがらし》を使ったものでしょうか」

「たっぷりな。火を噴くほど辛いけどさ、あれが癖《くせ》になるんだ」

串焼きにした鴨肉《かもにく》や鹿肉を、糸瓜《へちま》や豆芽《まめもやし》などの野菜と炒め、肉汁をかけた麺にどっさりのせて食べる串焼き麺は、粉芥子《からし》で辛味をつけるのが一般的だ。

辣椒自体は外来の香辛料として知られているものの、老舗《しにせ》料理店では絶対に使われない。辣椒が香辛料としては新しすぎること、食べすぎて体調を崩す人がいることも原因だが、単純に薄味のほうが上品とされるからだ。同じ理由で宮廷料理でも辣椒は使わない。

「辣椒は使っていませんけど、よろしければどうぞ」

そろそろ包子が蒸し上がる。冬瓜と豚肉の蜜煮もあと少しで出来上がりだ。

「でも、お時間は大丈夫ですか？　東宮にご用事だったのでしょう？」

「栄妃が料理をしてるって聞いて様子を見にきたんだ」

登原王は奥のほうから椅子《いす》を持ってきてまあさんに勧め、自分も椅子に座った。

「宴席で見たときとはだいぶ印象が違うな。圭鷹が言ってた通りだ」

「……殿下が、私のことで何か？」

「宴席では借りてきた猫だが、厨房では水を得た魚だって言ってたよ。絹団扇《きぬうちわ》を持っておとなしく座ってるより、玉杓子を持って竈の前に立ってるほうが生き生きしてるってさ」

登原王は長い脚を組んで椅子の背にもたれた。

「美人で気立てもよく、料理の腕前は一流か。できすぎた花嫁だな」

「まあ、どうして私の腕前をご存じなのです？　まだ何も召し上がっていないのに」

「圭鷹が褒《ほ》めてたんだ。あなたが作った奈落芋《ならくいも》の羹《スープ》は天界の料理みたいにうまかったって」

玉杓子で冬瓜と豚肉をかき混ぜながら、鈴霞は目を瞬かせた。

「私には、おいしいなんておっしゃらなかったわ」

昨夜、青膳房で圭鷹と鉢合わせした。ついでだから何か作ってあげようとしたが、圭鷹は断固《こ》として拒み、自分で茹《ゆ》でた奈落芋をまずそうに食べていた。

「そんなことだろうと思った。素直じゃないもんなあ、圭鷹のやつ」

登原王は陽気にからからと笑った。

「栄妃、あいつが言うことは額面《がくめん》通りに受け取っちゃいけない。たいてい言葉と意味が逆だ。例えば『悪くない』は『かなりいい』、『よくない』は『素晴らしい』っていうふうにな」

「殿下は『食えないことはない』っておっしゃったのですけど、あれは『おいしい』って意味だったのでしょうか」

「そうだよ。可愛《かわい》いやつだろ」

可愛いというより、面倒くさい人だ。

「妙なことを吹きこむな、兄上」

央順を連れた圭鷹が調理場に入ってきた。昼餉《ひるげ》を作りにきたのだろう。

「私はいつも言葉通りのことしか言わない」

「では、私が作った羹《スープ》を天界の料理みたいっておっしゃったのは？　登原王の作り話ですか」

鈴霞が尋ねると、圭鷹は奈落芋を切る手を止めた。

「……悪くなかったと言ったんだ」

「ほら出たぞ。あれは『かなりうまかった』ってことだからな」

登原王がからかうのを無視して、圭鷹は包丁を動かす。

「茹でる前に皮をむいたほうが、苦味が和《やわ》らいで食べやすくなりますよ」

「そうなのか？」

圭鷹は初めて聞いたというように顔を上げた。知らなかったらしい。

（こないだ私が茹でた奈落芋の皮をむいたから、あれ以来、茹でた後でむいてるのよね）

茹でた後で皮をむくという発想がなかったのだろう。

「こいつ、芋の皮むきなんかできないぞ。だいぶ前、やろうとしてさんざん失敗してた。手は傷だらけになるし、厚くむきすぎて食うところがなくなるし」

「私がやりましょうか？」

「いや、いい。君の手は借りない」

圭鷹が頑《かたく》なに拒《こば》むので、鈴霞は困った人だと思いつつ、塩壺を彼の調理台に置いた。

「はい。塩、お使いになるでしょう。使い終わったら、今日はちゃんと塩の抽斗《ひきだし》に入れてくださいね。昨夜は砂糖の抽斗に入っていましたよ。調味料は同じ場所に置かないと」

「昨夜は砂糖の抽斗に入っていた？　塩壺が？」

「今朝、桃仁粥《とうにんがゆ》を作ろうと思って抽斗を見たとき気づいたのですわ。触った感じが砂糖と違ったので、すぐに分かりましたが」

調味料を保管する棚《たな》の抽斗には、一杯ずつ品目が書かれた札が取りつけられている。塩という札のついた抽斗から取り出した壺には、なぜか砂糖が入っていた。

「昨夜、私は間違いなく塩壺を塩の抽斗にしまったぞ」

圭鷹は自信ありげに答えた。

「君こそ、一昨日の夜、蒸籠《せいろ》を調理台に積み上げたままにしていただろう。翌朝、私が片付けておいたが、蒸籠は乾かしたら棚にしまっておくべきだ」

「え？　一昨日の夜でしたら、蒸籠なんか使っていませんわ。あの日は饂飩《うどん》を作りましたし」

鈴霞が小首をかしげると、圭鷹はいぶかるように眉根《まゆね》を寄せた。

「三日前の晩、油壺を床に置いていたのは、君じゃないのか？」

「床に置くわけないでしょう。ぶつかってこぼしたら掃除が大変です。あ、思い出したわ。四日前の明け方に包丁をまな板に突き刺していたのは、殿下ではないのですか？」

「包丁は使ったら片付けるようにしている。まな板に突き刺して放置するなどありえない」

「変ですわね。私はてっきり殿下が片付けをお忘れになったのだと思っていたのですが」

二人して、しばし考えこむ。

「ここの鍵《かぎ》を持っているのは、君と私と、御膳房の長官だけだ」

「御膳房の長官がこんな悪戯《いたずら》をしたのですか？」

塩と砂糖を入れかえたり、蒸籠を調理台に積み上げたり、油壺を床に置いたり、包丁をまな板に突き刺したり。ささいなことだが、料理人としては仕事場を穢《けが》されたようで不快だ。

「許せませんね。その長官とやらにガツンと文句言ってきますわ」

くるりと圭鷹に背を向けて出ていこうとしたとき、後ろから呼び止められた。

「犯人は四日前から毎晩、ここに出入りしている。今夜も来るかもしれない」

「待ち伏せしてとっちめるんですね！」

とっさに素の言葉遣いが出てしまった。はっとして口元を手で覆《おお》う。

「とっちめるとまでは……。とにかく、今夜は様子を見よう」

「分かりました。早速、夜食の仕込みをしなくちゃ」

鈴霞は意気込んでいそいそと食材棚に向かった。小麦粉の袋を引っ張り出す。

「なぜ夜食を作るんだ？」

「張りこみするからに決まって……ですわ。見張りの最中にお腹が減っては困るでしょ？」

「君は来なくていい。私と央順で犯人を捕まえ――」

「栄妃様！　栄妃様！」

まあさんがどたどたと駆けてきた。丸い顔は蒸したての包子《まんじゆう》みたいに膨らんでいる。

「どうしたの？　蜜煮を焦がしちゃった？」

鈴霞は大急ぎで竈《かまど》に戻った。鍋《なべ》の中の豚肉と冬瓜はいい具合に煮えている。

「蜜煮ではなく、こっちです、こっち！　蟹肉の包子！」

まあさんが蒸籠を指さす。ふたを開けて、鈴霞は目をぱちぱちさせた。

蒸籠の上段が空っぽだ。掌大《てのひらだい》の包子が八つ入っていたはずなのに。

「悪い、栄妃。あんまりうまいんで、俺たちで山分けした」

登原王がほかほかと湯気の上がる包子にかぶりついた。見ると、まあさんの口元には餡《あん》のかけらがくっついていた。まあさんは満足そうにお腹をさする。

「こんなにおいしい包子は初めて食べましたよ。はああ、おいしかったあ」

「上の段、全部食べちゃったの？　まあ、いいわ。下の段にあと九つあるから」

「あと九つですって⁉」

まあさんが目の色を変えて蒸籠に飛びつく。登原王がすかさず追いかけた。

「婆さん、年寄りは食いすぎないほうがいいぞ。ここは若い俺が」

「お若い殿方《とのがた》こそ、食べすぎは禁物です。太鼓腹《たいこばら》になったら魅力が激減しますよ」

言い争う二人を横目に、鈴霞は鉢に小麦粉を入れた。

（おいしいならおいしいって言ってくれればいいのにね）

素直じゃない皇太子においしいと言わせてやろうと、張り切って生地をこねた。


夜半《やはん》の青膳房《せいぜんぼう》。圭鷹は生垣《いけがき》の陰に身をひそめていた。

（やはり、あの女は貴族令嬢ではないな）

『名家のお嬢さんが串焼き麵《そば》を知ってるってのは、かなり妙だぞ』

昼間、栄妃の様子を見にいった兄が昼餉の後でそう話した。串焼き麵は荷運び人や職人などを相手にした店で売られている、安価な料理だ。貴族の食卓にはのぼるはずもない庶民の味で、名門栄家の令嬢の好物であるはずがない。

（宵麗の趣味が料理とは聞いたことがないのに、厨房《ちゅうぼう》に慣れすぎている）

美人が多い栄氏《えいし》の娘の中でもとりわけ美しい栄宵麗は、風に吹かれればよろけてしまうようなか弱い美姫《びき》といわれていた。ところが今、東宮にいる栄宵麗は大ぶりの包丁を見事に使いこなして、てきぱきとうまそうな料理を作る。前評判の栄宵麗とは、違いすぎるではないか。

「央順、調べは進んでいるか」

毒見係と側仕《そばづか》えを兼ねる央順は「あいにく」と低く答えた。

「栄家に宵麗がいないのは確かですので、何らかの理由で邸《やしき》に隠されているわけではないようです。駆け落ちしたという噂《うわさ》の出どころは、いま一つはっきりしません」

栄家の使用人にそれとなく探りを入れているが、彼らは口が堅く、何も話さないという。

「とりあえず、宵麗のほうは置いておくとして、あの女の出自を先に探ろう。おそらく、どこかの邸で調理場に仕えていたか、料理店で働いていたことがある女だ」

栄妃に青膳房への出入りを許したのは、彼女が強い興味を示した厨房を自由にさせれば必ず尻尾《しっぽ》を出すと踏んだからだ。狙い通り、栄妃は嬉々として調理場に入り浸っている。

（趣味というには手慣れすぎている）

宮中の調理場は広大だ。膨大《ぼうだい》な調味料や調理器具の位置を把握《はあく》するだけでも、見習い料理人たちは数年、苦労するといわれている。いくら栄妃が実家でときおり手慰《てなぐさ》みに厨房に立っていたとしても、調理場の勝手に慣れるのが早すぎる。

（奈落芋《ならくいも》をあれほどうまく調理できるんだ。素人《しろうと》とは思えない）

栄妃が作った奈落芋の羹《スープ》。苦味ばかりの薄黄色の身は、花椒《さんしょう》と黒酢の風味に包まれ、舌に優しい爽《さわ》やかな味わいになっていた。正直言って、かなりうまかった。一口食べて終わりにするつもりだったのに、気づいたときには碗《わん》が空《から》になっていたほどだ。

趣味で料理をたしなんでいる貴族令嬢があんなものを作れるか？　貴族令嬢なら奈落芋そのものを知らないだろう。料理書にも載っていない食材なのだから。

「料理人の線で探してみてくれ。あの女に似た者がいなかったかどうか」

御意《ぎょい》、と央順が面《おもて》を伏せたとき、小さな足音が近づいてきた。

「殿下！　遅くなりました－」

栄妃がぱたぱたと駆けてきた。またしても夜着姿だ。外衣《うわぎ》も羽織《はお》っていない。手には三段重ねの食盒《じゅうばこ》を持っていた。どうやら本当に夜食を持ってきたらしい。

「犯人、まだ来てませんわね？　間に合ってよかった。さてと、この辺りでいいかしら」

栄妃はバサッと敷物を広げた。その上に座って、食盒を開ける。一段目は黄瓜《きゅうり》の豆醬《みそ》漬けと煮卵。二段目にはふんわり膨らんだ大きめの包子が三つ。

「冷める前にいただきましょう」

ちょこんと座った栄妃が手招きする。圭鷹はそっぽを向いた。

「食事を済ませたばかりだ。腹は減っていない」

「お茶だけでもいかがです？」

いらない、ときっぱり拒絶する。偽物の花嫁と馴《な》れ合うつもりはない。

「お口に合いますか、央順様」

「すごくおいしいです」

いつになく弾んだ央順の声を聞いて振り返る。央順は主を差し置いてさっさと敷物に座り、はふはふと幸せそうに包子にかぶりついていた。

「央順、そんなものを食べるんじゃない」

「そんなものって、とてもおいしいですよ。殿下もお召し上がりになればいいのに」

包子片手に黄瓜の豆醤漬けや煮卵にも手をつけている。長年、まずい奈落芋を毎日毒見させられてきたためか、まともな食事の誘惑には勝てなかったか。

「殿下の分もありますよ。ほら、こちらにおいでになって」

栄妃が白くてふわふわした包子を指し示す。ごくりと喉《のど》が鳴った。食事を済ませたのは事実だが、何せ食べたのは茹《ゆ》でた奈落芋。見るからにうまそうな包子に食欲を刺激される。

「殿下は満腹でいらっしゃるようなので、私がいただきます」

一つ目の包子をぺろりと平らげた央順が二個目に手を伸ばした。

待て、と反射的に止めてしまった。困惑を不機嫌顔でごまかして命じる。

「……毒見をしてくれ。そうしたら食べる」

央順は少なからずがっかりした様子で二つ目の包子を毒見し、圭鷹に渡した。

宮中の食盒は一番下の段に熱湯が入れられる作りになっている。そのため、包子は蒸したてのように温かい。思い切って一口かじると、甘辛《あまから》い肉汁があふれてきた。羊肉と茸《きのこ》、葱《ねぎ》、生姜《しょうが》、陳皮《ちんぴ》を細かく刻んで甜醤《あまみそ》で味付けた餡《あん》だ。白い皮は雲のように柔らかく、ほんのり甘い。甜醤のこくが効いた餡と混ざると、得《え》も言われぬ味わいになる。

「お茶を淹《い》れますから座ってください」

栄妃は三段目の中央に据えられた深い器――この周りを取り囲むようにして熱湯が入れられる作りだ――から茶具を取り出した。そつのない所作《しょさ》で茶の用意をする彼女を見ていると、包子を持って突っ立っているのがひどく無作法《ぶさほう》に思えてきた。

圭鷹が敷物の上に座ると、栄妃は微笑《ほほえ》んで茶杯《ゆのみ》を差し出した。上品な色合いの白茶《はくちゃ》だ。

「……君は茶を淹れるのもうまいな」

なめらかな舌触りの茶に喉を潤され、思わず本音がもれる。

「牡丹槐《ぼたんかい》で沸かした湯ではなさそうだが、悪くない」

洗練された茶の作法では、牡丹槐という木材を薪《たきぎ》にして湯を沸かす。牡丹槐は牡丹に似た花をつける槐で、燃やすとほのかに牡丹の香りがする上、湯がまろやかになる。

「煮卵もいかがですか」

笑顔で勧めてくる栄妃の隣で、央順は煮卵をもぐもぐと頬張《ほおば》っていた。

央順が口にして何事もないなら大丈夫だろうと、圭鷹は煮卵を一口かじる。茶葉と香辛料で煮たものだ。濃厚な茶の香りが口いっぱいに広がり、塩気と絶妙に混ざり合う。

「お腹、減ってたんですね」

栄妃がくすくす笑っている。なぜかというと、圭鷹が一気に三つも煮卵を食べたからだ。二個目からは毒見させることをすっかり忘れていた。

「腹が減っていたわけじゃない」

ぶつぶつ言い訳しながら、銀の箸《はし》で黄瓜の豆醤漬けをつまんだ。白茶とも合うが、酒にも合いそうな味だ。彼女が作る料理には、まずいと文句をつけられそうなものがない。

「綺麗《きれい》な満月、真っ赤な柘榴《ざくろ》の花。ここで食べると、煮卵も高級料理みたいですね」

煮卵をかじりながら、栄妃は柘榴の木を振り仰《あお》いでいる。月明かりに濡れる朱赤《しゅあか》の柘榴と、暗がりに浮かび上がる清らかな横顔。闇を彩る二つの花に、しばし見惚《みと》れた。

貴族令嬢らしからぬ言動から察するに、彼女は庶民《しょみん》だ。進んで身代わりになったのだとしたら、多額の報酬《ほうしゅう》が目当てだろう。だが、進んで引き受けたのではないとしたら？

（人質を取られたか）

皇太子の花嫁になりすますというのは、庶民の娘にとって気楽に引き受けられる仕事ではない。正体を見破られれば死罪。家族にも累《るい》が及ぶ。たとえ報酬に目がくらんだとしても、覚悟が必要だ。あえて危険を冒して皇宮に来たからには、相応の理由があるはず。

「君には家族がいるな」

「えっ？　ええ、いますわ」

「入宮して一月《ひとつき》近く経つ。だいぶ会っていないから寂しいだろう」

そうですね、と栄妃は視線を落とした。憂《うれ》いを帯びた表情が推測を裏付ける。

「家族に会わせてやってもいいぞ。もし、君が望むなら」

栄妃が思い浮かべたのは宵麗の父母ではなく、自分の家族だろう。

「いいえ、いいんです。入宮したら家族との付き合いは控えるのが決まりですから」

型通りの返答。これも栄家に教えこまれたのだろうか。宮中の行儀作法と一緒に。

「あ、言い忘れる前に言わなきゃ。今更ですけど、本当にごめんなさい。殿下の愛玩物《ペット》の鵞《が》鳥《ちょう》を追いかけ回してしまって……」

「水雅か。あれは私のじゃない。弟のだ」

ふいに栄妃と初めて会った日のことが思い出された。乱れ髪に葉っぱをくっつけて暴れる鵞鳥を押さえつけていた彼女は、どう頑張っても皇太子妃には見えなかった。

なるほど、あちらが本性なら評判通りの栄宵麗を演じるのは難儀《なんぎ》だろう。

「……殿下？　なんで笑っていらっしゃるんですか？」

「何でもない。気にするな」

いったん笑い出すとなかなか止まらない。茶をこぼしそうになり、茶杯を盆に置く。

「気になりますよ。あっ、ひょっとして私の顔に何かついてます？」

煮卵を口につめこみ、顔をぺたぺたと触った。指についていたたれが顔中にベタベタとくっついていっそう笑いを誘う。本人はなぜ圭鷹が笑うのか分からず、きょとんとしていた。

「ん？　あー！　顔にたれがついた！　もう、せっかく顔洗ってきたのに」

「やめなさい、袖《そで》でこするのは。玉の肌に傷がつく」

圭鷹は食べかけの包子《まんじゅう》を皿に置き、手巾を出した。柄杓《ひしゃく》で湯をすくって手巾を湿らせ、軽く絞《しぼ》る。玻璃細工《はりざいく》に触るように慎重な手つきで、頬や額についたたれを拭き取ってやった。

「じ、自分でできますから」

栄妃は途中で身を引いた。恥ずかしそうに頬を染めている。

「じっとしていなさい」

あとは顎先《あごさき》と唇の端だ。全部拭《ぬぐ》い終わると、奇妙な達成感とわずかな喪失感を覚えた。達成感は分かる。たれを拭き取り、栄妃の顔が元通りになったからだ。しかし、喪失感とは？

「……ま、まだついてますか？」

栄妃は赤らんだ頬に触ろうとする。圭鷹は彼女の手をつかんだ。想像していたより小さい。こんな小ぶりな手で大きな肉切り包丁を使いこなすのかと感心した。

「……手を拭いたほうがいい」

栄妃が体を強張《こわば》らせていたので、慌てて手を放した。令嬢の身代わりをするくらいだから度胸は据わっているが、男に慣れているわけではないらしい。栄妃に手巾を渡して自分の席に戻り、はたと気づいた。食盒に残っていた三つ目の包子がない。

「栄妃、君の包子がないぞ」

「あら？　ほんとだわ。さっきまであったのに、おかしいわね」

二人してきょろきょろした後、央順を見る。央順はばつが悪そうにうつむいた。

「……すみません。おいしかったので、つい……」

「あれは栄妃の分だったんだぞ」

「いいですよ。おいしく食べていただけたなら嬉しいです」

「君だって食べるつもりだったんだろう？　困ったな、どうしたら……そうだ」

圭鷹は自分の包子を半分にした。

「食べかけで悪いが、君が今夜、空腹で眠れなくなるといけないから」

包子が残り少なくなるのは惜しいけれど、側仕《そばづか》えの粗相《そそう》を詫《わ》びるのは主人の役目だ。

「なんで笑っているんだ？」

栄妃がふふふと楽しそうに笑っているので、圭鷹は不安になった。

「まさか私の顔にもたれがついているのか？」

「違います、違います。殿下って、意外に優しい人なんだなーって思ってたんです」

栄妃は小さくなった包子を受けとった。飾らぬ言葉遣いのほうが彼女に似合う。

「優しくしているつもりはないが。周囲の者に気を配るのは、上に立つ者の義務だ」

「私には優しい人に見えますよ。こないだも、外衣《うわぎ》を貸してくださったし」

「外衣といえば、夜着姿で出歩くなと言ったじゃないか。また何も羽織《はお》らず――」

圭鷹は小言を打ち切った。物音がする。建物のほうからだ。扉が開けられる音だろうか。生垣に身を隠して様子をうかがうと、人影が厨房《ちゅうぼう》に入っていくのを見た。

「犯人のお出ましだ。捕まえて話を聞いてくるから、君はここにいなさい」

「私も行きます。ガツンと文句言ってやらないと」

栄妃は包子をごくりと飲みこみ、勇ましげに立ち上がった。

仕方ないので、央順も含め三人で厨房に向かった。気配を殺して中に入る。犯人の提灯《ちょうちん》だろう、奥にはぼうっと明かりが灯っていた。ほのかな光を頼りに目を凝《こ》らすと、何者かが棚《たな》の前にいるのが見えた。大きさ別にしまってある鍋《なべ》を取り出して、調理台に積み上げていく。

「誰だ？　いったい何をして……」

圭鷹は小柄な人影を提灯で照らし、目を見張った。

「明杏……か？　そこで何をしているんだ？」

「……お、お兄様⁉」

夜着に外衣を羽織った軽装の明杏が立ち上がった。

「調理場で悪戯《いたずら》をしていたのは君だったのか」

「えっ……あっ、これは、そのっ……」

しどろもどろだ。圭鷹は溜息をついて、妹に手招きした。

「なぜこんなことをしたのか、説明しなさい」

「……え、栄妃のせいよっ！」

明杏は圭鷹の後ろから顔をのぞかせた栄妃を指さした。

「この頃、栄妃が青膳房《せいぜんぼう》で料理をしてるって聞いたから腹が立ったの。だって、栄妃の料理を真っ先に毒見させられるのは央順よ。もし毒が入ってたら、央順はまた……」

苦しげに顔をしかめ、つかつかと栄妃につめ寄った。

「今後は料理なんかしないでちょうだい。あなたが厨房に立たなくても、宮中には優秀な料理人が大勢いるの。あなたの料理なんか誰も食べたくないし、お兄様だって迷惑に思って」

明杏、と圭鷹は静かな声で妹の暴言を制した。

「栄妃が青膳房に出入りするのを許可したのは私だ。それについて不満があるなら、まず私に意見するべきだった。子どもじみたいやがらせをする前に」

「お兄様も変だわ。栄妃なんかに青膳房を使わせるなんて」

「自分の非を詫びない者の意見は聞くに値しない」

厳しく言うと、明杏は決まり悪そうに謝罪の礼を取った。

「……申し訳ございません、皇太子殿下」

「栄妃にも謝りなさい。彼女も君の悪戯の後始末をしたんだぞ」

明杏は不服そうに唇を尖らせながらも、栄妃に向き直って投げやりな口ぶりで謝った。

「じゃあ、お兄様。今後は栄妃を厨房に立たせないでくれるわね」

「いいだろう。その代わり、君には金輪際《こんりんざい》、歌うことを禁じる」

明杏は歌が好きだ。宮中では仙女の歌声を持つ公主と評されている。

「栄妃にとって料理を禁じられることは、君が歌を禁じられることと同等だ。厨房に立つなと栄妃に命じるなら、君には歌うなと命じなければ公平ではない」

「妾《わらわ》は関係ないわ！　悪いのは栄妃よ！　栄妃を厨房から締め出してくれればそれで――」

「栄妃は君の使用人ではない。彼女に何を許し、何を禁じるかは、夫である私が決める」

言い返そうとした明杏を視線で止める。

「納得できないなら、父上に泣きつけばいい。栄妃に命令する権限をくださいと。そのような道理の通らないことを父上がお許しになると思うなら」


「大丈夫なんですか？　あんな言い方して……」

ぷりぷりと怒った明杏が鍋を片付けて出ていった後で、栄妃がおずおずと尋ねた。

「道理は通さねばならない。相手が誰だろうと」

明杏だって愚かではない。央順のこととなると見境がなくなるだけだ。

圭鷹は栄妃と央順を連れて厨房を出た。柘榴の木のそばに戻り、食盒《じゅうばこ》を片付ける。

（君も道理を通すべきだ、栄妃）

人質を取られているなら、うかつに打ち明けられないだろうが、ゆくゆくは罪を告白してもらうことになるだろう。どんな事情であれ、皇家を謀《たばか》ったことは事実なのだから。

部屋まで送り届けると、栄妃は道中で圭鷹が着せてやった外衣を返した。

「今日は楽しかったです。また夜食会しましょうね」

無邪気な笑顔にうなずきそうになり、圭鷹は表情を引きしめて彼女を見下ろした。

「私と央順の分は作らなくていい」

「どうしてですか？」

君が偽の花嫁だからだと言おうとしてやめた。たとえ彼女が本物の栄妃でも同じことだ。

「頼むから、私たちにはかかわらないでくれ。さもなければ、青膳房への出入りを禁じる」


数日後、父帝が久しぶりに東宮を訪ねてきた。

「聞いたぞ、圭鷹。栄妃をいたく気に入っているそうじゃないか」

父帝は上機嫌で圭鷹を内院《なかにわ》に連れ出した。

花盛りの蜀葵《たちあおい》は今朝がた降った小雨に濡れ、みずみずしく日差しを弾いている。

「二人で厨房に立っているとか。おまえは堅物《かたぶつ》だから栄妃とうまくいくかどうか心配していたが、すっかり打ち解けたな。母上も喜んでいたぞ」

圭鷹は曖昧《あいまい》に微笑してついていく。明杏が告げ口にいったか、あるいはそこら中にひそんでいる父帝の密偵が報告したか。

「班太后はたいそうご不満のようだが。皇太子妃が庶民《しょみん》の嫁よろしく厨房に立つなど、恥ずかしくて祖先に顔向けできぬそうだ」

「ならば、私は太廟《たいびょう》には近づけませんね。庶民の独り者よろしく厨房に立っていますので」

まったくだ、と父帝は笑い飛ばした。

「班太后は班家から皇太子妃を出したがっていたからな。栄妃が気に食わないのは仕方ない。栄妃も毎朝いやみを言われて参っているだろう。夫のおまえが気遣ってやれ」

朝の挨拶《あいさつ》に行くたび、班太后に礼儀作法《さほう》や言葉遣いについて小言をもらうのだと、栄妃が言っていた。「はいはい」と右から左に聞き流すことにしているという。

「祖母上は、ますます気難しくなっていらっしゃるようですね」

「日に日に頑固におなりだな。近頃は茶寮《さりょう》に籠《こも》ってばかり。一日中、茶を淹《い》れて何が楽しいのか知らないが、公《おおやけ》の場にあまり出ていらっしゃらないのは、かえって好都合だ」

班太后と父帝は仲睦《なかむつ》まじい母子とはいえない。班一族を優遇したい祖母と、班家と距離を置きたい父帝は、あらゆる場面で対立してきた。圭鷹の花嫁選びもその一つだ。

「茶寮に籠ってばかりでは、退屈なさいましょう」

「すねていらっしゃるのだ。孫の花嫁を自分で決められなかったからな。哀れと思うなら顔を見せにいってやれ。余《よ》が出向いてもいやみしかおっしゃらないが、おまえならお喜びになる」

圭鷹がうなずくと、父帝は気だるげに溜息をもらした。

「唐仲来が生きていれば、皇太后のご機嫌取りも難しくなかったんだが」

田舎《いなか》の貧農出身ながら、老舗《しにせ》飯店の料理長まで出世した唐仲来は、お忍びで食事にきた班太后に気に入られて皇宮勤めになり、二十年に渡って班太后のためだけに厨房に立った。唐仲来が作った料理を出せば、虫の居所が悪い班太后もたちまち上機嫌になったものだ。

ところが、ちょうど三年前、唐仲来は帰らぬ人になってしまった。

両親の墓参りのため呂守国《ろしゅこく》の並許へ向かう道すがら、乗っていた軒車《くるま》が川に落ちたのだ。

「思い返せば、唐仲来には無理にでも弟子を取らせておくんだったな。料理書はあっても、完璧《かんぺき》に再現できる料理人がいないのでは意味がない」

生前、彼は弟子を取らなかった。自分の技が盗まれることを極端に恐れていたらしい。弟子を取らない代わりに、唐仲来は大量の料理書を遺《のこ》した。が、意味不明の材料が記されている箇所《かしょ》も多く、細部まで読み解ける者がいないため、第二の唐仲来は現れていない。

「唐仲来が生きていたら、栄妃を弟子にしたかもしれません」

色鮮やかな蜀葵を見ていると、なぜか栄妃を思い出した。

「彼女の腕前はかなりのものですから」

「明杏が妬《や》くはずだな。ずいぶん可愛《かわい》がっているようだ」

くるりと振り返って、父帝は笑みまじりに圭鷹の肩を小突いた。

「栄妃と親しくするのはいいが、婚礼までは身を慎《つつし》めよ」

赤紫の蜀葵に触れ、宦官《かんがん》に命じて茎《くき》から鋏《はさみ》で切らせる。

「婚儀を挙げる前に栄妃が身籠《みごも》っては、外聞が悪いぞ」

「立場はわきまえております」

「ならばよい。せいぜい今のうちに気楽な関係を楽しんでおけ。婚儀が済めば、懐妊《かいにん》はまだかと矢のような催促《さいそく》が飛んでくる。さて、美しい蜀葵だ。栄妃に届けてやれ」

宦官から蜀葵を受け取り、圭鷹は政務に戻る父帝を見送った。

赤紫の蜀葵は古くから美女のたとえに用いられるが、切り花になると意味が変わる。

――女狐《めぎつね》。

息子の圭鷹が気づくのだから、父帝が栄妃の正体に気づかないはずはない。密偵に栄家の周辺を探らせ、身代わりの証拠を得たのだろう。十中八九、父帝は何か知っているが、それを息子に教えるつもりはないらしい。

いずれ皇位につくのなら、この程度の問題は自分で処理しろということか。女狐にほだされるなと言外に匂《にお》わせて去っていった。

蜀葵を届けるため、圭鷹は政務の合間に栄妃を訪ねた。部屋にはいなかったので、青膳房かと思ったが、留守番の女官によれば内院の四阿《あずまや》にいるという。蓮池《はすいけ》にかかる小橋《はし》を渡って円形の四阿に入ると、書き物をしていた栄妃が弾かれたように顔を上げた。

「でっ、殿下⁉」

大慌てで紙を折り畳《たた》んで隠す。人質になっている家族宛ての手紙だろうか。

「写経でもしていたのか？」

「はっ、はい、写経ですわ。私、信心深いものですから」

経文《きょうもん》もないのに写経とは、嘘が下手《へた》な女だ。

「書は人を表すという。君の手跡《しゅせき》がどのようなものか見せてくれ」

「……お、お見せできるようなものじゃありませんよっ。私、字が下手で……」

おたおたする栄妃から紙を取り上げ、日差しにさらしてみる。墨《すみ》が乾く前に栄妃が慌《あわただ》しく折り畳んだため、墨跡《ぼくせき》がにじんで読みにくい。

「……白茄子《しろなす》、羊肉の赤身、葱《ねぎ》、松の実……？」

ぐちゃぐちゃになった文字の中で読み取れたのは、食材の名前くらいだ。

「食譜《レシピ》を書いていたんですよ……ですわ」

栄妃は思い出したように言葉遣いを改めた。

「殿下が他人の作ったものは食べたくないっておっしゃるから、食譜を差し上げようと思ったのです。ご自分でお作りになればお召し上がりになれるんでしょ？　食譜があれば、茹《ゆ》でた奈落芋《らくいも》よりおいしいものをたくさん食べていただけるのではと……」

ぼそぼそと気まずそうに語尾を濁す。

「……お節介《せっかい》だってことは分かってますよ。でも毎日、奈落芋ばっかりじゃ、さすがに飽きるでしょ？　おいしいものを食べたほうが気分もよくなるし、元気が出てお仕事も頑張れると思うんです……ですの。自覚はないかもしれませんが、殿下っていつもしかめ面《つら》で――」

「――厚意《こうい》はありがたいが」

圭鷹は未完成の食譜を栄妃に返した。

「芋の皮むきすらできない私に、君が作るような料理は作れないだろう」

当惑していた。彼女は圭鷹を籠絡《ろうらく》するためにこんなことを言うのだろうか。それとも、純粋な厚意？　なにゆえ、身代わりにすぎない彼女が目的もなく圭鷹を気遣う？

「殿下に合わせて、面倒くさい手順を極力省《はぶ》いたお手軽食譜にしようとしてたんです。御膳房の料理みたいな完璧な仕上がりにはならないけど、ぱぱっと作れておいしい食譜」

栄妃は水面《みなも》のように澄んだ瞳をきらきらと輝かせた。

「いろいろと裏技があるんですよ。そりゃあマジメな料理書通りに作ったほうがちゃんとしたものになりますけど、殿下は飯店の主人じゃないんだから、簡単・早い・うまいの手抜き料理で十分満足……殿下？　手抜きって単語がまずかったですか？」

圭鷹の沈黙を不機嫌と解釈したか、栄妃はすでに出てしまった言葉を押し戻すように手で口元を覆《おお》った。彼女が視線を泳がせて手を離すや否《いな》や、圭鷹は噴き出してしまう。

口の周りに墨がべったりついているのだ。まるで山賊《さんぞく》の口髭《くちひげ》である。

「殿下が笑ってる……。なんだか覚えのある展開……」

肩を揺らして笑う圭鷹の前で、栄妃は目をぱちぱちさせた。

「はっ、も、もしかして……ああーもう！　手に墨がついてたのね！」

「こすってはだめだ。拭いてあげよう」

袖《そで》で顔をこすろうとした栄妃を止め、水差しで手巾を湿らせる。華奢《きゃしゃ》な頤《おとがい》に手をそえて、少しずつ墨を拭き取った。墨と一緒に白粉《おしろい》も落ちたが、玉の肌があらわになっただけだ。

「……殿下って、こういうことに慣れてるんですか」

目が合うと、栄妃は面映《おもは》ゆそうに視線をそらした。

「……お、女の顔に、触ったりとか、普段よくしてるから平気なんですよね。……か、顔どころか、他のとこにも触り慣れてそう……。あっ、別に非難してるわけではありませんわっ」

ははは、と空笑いして後ずさる。朱塗りの欄干《らんかん》は彼女の膝までの高さしかない。危ないなと思っていたら、案の定、栄妃は欄干にぶつかって後ろにひっくり返りそうになった。

とっさに細腕を引いて抱きとめる。風鈴を騒がせる青嵐がさらったのは、咲き初めの蓮の匂いか、栄妃が身にまとう甘やかな香りか。

頭頂に蝶結びのような髷《まげ》を作った黒髪で、碧玉《へきぎょく》を連ねた金の歩揺《ほよう》が揺れている。ほっそりとした体は緊張して強張《こわば》っていた。息が止まったかのように、栄妃は何も言わない。

圭鷹も同じだ。何も言えず、動けなくなる。

（……慣れているはずがない）

立太子された頃から、秋波《しゅうは》を送ってくる貴族令嬢や女官が増えた。圭鷹は彼女たちをうっとうしく思うことはあれど、艶《つや》めいた関心は抱かなかった。兄の猟月は世慣れた女人たちと頻繁《ひんぱん》に浮名を流していたが、それは兄が皇太子ではないから許されることだ。

皇位が約束されている以上、色恋の楽しみとは縁遠くならざるを得ない。

いつの日か後宮の主になる男は、心が焼けつくような恋をしてはならないのだ。

（父上の轍《てつ》は踏まない）

尊敬する父帝の唯一にして最大の過ち。それを戒《いまし》めにしているからこそ、異性に対して特別な感情を抱くことは許されない。

「慣れているのは君のほうじゃないか？」

圭鷹は栄妃を離してからかうように笑った。

「可愛《かわい》らしく恥じらってみせて、私を挑発しているつもりだろうが、あいにく理性には自信がある。たとえ君が百戦錬磨《ひやくせんれんま》の妖婦《ようふ》だとしても、誘惑は失敗すると忠告しておこう」

「ひゃ、百戦錬磨!?　どういう意味ですか!?」

栄妃は柳眉《りゅうび》を逆立てたが、圭鷹は聞き流した。央順に持たせていた蜀葵《たちあおい》を差し出す。

「父上がお見えになって手折《たお》っていかれた。君に、だそうだ」

「おいしそうな蜀葵！　葉は羹《スープ》に、花は揚げて砂糖をまぶせば……って食べちゃだめですよね。

主上にいただいたものですし。ありがとうございます。お部屋に飾りますね」

父帝が手折った蜀葵は赤紫だったが、圭鷹は改めて黄色の蜀葵を手折って持ってきた。黄色い蜀葵の切り花は〈天幸《てんこう》〉を意味する。自分を騙した女に天の恵みを願うとは、我ながらどうかしていると呆《あき》れるけれど、彼女を女狐と罵《ののし》る気にはなれないのだ。……なぜか。

帰り際、栄妃に呼び止められた。

「殿下専用のお手軽食譜《レシピ》本を作ったら、受け取ってくださいますか……？」

拒否しろ、と冷静な自分が命じた。偽物とは馴《な》れ合うなと。

「楽しみにしているよ」

親しんでどうする？　彼女は替え玉だ。婚礼までには、東宮から追い出さねばならない。

「期待しててくださいね！」

栄妃は――そう名乗っている女は、花開いた蓮《はす》のように微笑《ほほえ》んだ。

ふいに知りたいと思ってしまった。彼女の、本当の名を。

そんな願いを胸に抱いてはいけないと……分かっているのに。

「できたっ」

鈴霞は鍋《なべ》を竈《かまど》から上げて調理台に置いた。

圭鷹のためにお手軽食譜――もとい手抜き料理を研究中である。

今日は鶏の焦がし煮を作った。雌鶏《めんどり》を丸のまま鍋で煮て、豚脂《ラード》と八角茴香《はっかくういきょう》を加えてさらに煮込み、ごま油でこんがり揚げて酒と醤油《しょうゆ》のたれで煮上げるのが正式な食譜だが、これでは出来上がりまで数時間かかる。鶏肉を一口大に切り、煮る時間を短縮するなどして簡略化した。

天仙飯庄のものと比べれば見た目は劣るけれど、味は満足のいく出来だ。

（殿下も変な人よね。自分で作らなくてもいい身分なのに）

皇太子なのだから、一流の料理人が作った最高の品々を好きなだけ食べられるはず。それなのに、わざわざ激マズ芋の王様、奈落芋を自分で調理して食べる理由は何だろう。夜食はおいしく食べてくれていたので、味覚が常人と正反対というわけでもなさそうなのに。

一度、なぜ自分で調理するのか訊いてみたが、圭鷹にははぐらかされてしまった。今のところ、事情があるということくらいしか分からない。

（奈落芋の謎は置いておくとして、殿下にはおいしいものを食べてもらいたいわ）

外衣《うわぎ》を着せてくれたり、包子《まんじゆう》を分けてくれたり、明杏からかばってくれたり。登原王のように気安い人ではないけれど、根は優しい人なのだろう。

そんな彼を日々騙しているのだから、鈴霞は立派な悪人だ。

心苦しいが、天仙飯庄を守るためには身代わりを続けるしかない。

せめてもの罪滅ぼしにと簡単食譜のために知恵を絞《しぼ》っている。

「さて、作り方を書きとめておかなきゃ」

書具を探してきょろきょろした。……ない。部屋から持ってきたつもりで忘れてきたのだ。先にもう一品作ってからにしようかと思ったが、細かい部分を忘れてしまいそうだから急いで取りにいくことにする。

鈴霞は火の始末をしてから青膳房《せいぜんぼう》の鍵《かぎ》を閉め、部屋に戻った。作り方を書きとめ、「試食ならお任せください」と豪語するまあさんとともに厨房《ちゅうぼう》へ急ぐ。

「……何、これ……」

厨房に戻り、鈴霞は調理台の前で立ちすくんだ。

醤油《しょうゆ》と酒で濃く煮詰めた鶏料理。鍋の中で湯気を立てていたそれが、真っ白になっていた。何者かが――灰をぶちまけたのだ。

「栄妃の替え玉は、天仙飯庄の女料理人、鈴霞ではないかと思われます」

母のご機嫌伺《うかが》いに後宮へ向かう道すがら、央順《うりふた》は淡々と報告した。

容姿や年齢、料理好きなどの特徴が栄妃と瓜二つであることに加え、栄宵麗の兄が天仙飯庄を訪ねて鈴霞を呼び出していた事実が女料理人と偽物の花嫁を結びつけた。

「鈴霞という娘は、二月《ふたつき》ほど前、栄家の紹介でとある貴族の邸《やしき》に勤めることになったと言って天仙飯庄を出たそうですが、その後の足取りがつかめていません」

栄家が女料理人を他家に紹介した形跡はない。

「彼女の家族は？　無事なのか？」

「天仙飯庄の鈴霞に家族はおりません」

人質に取られているはずだと言ったが、央順は首を横に振った。

「出身は呂守国の並許。貧しい農民の娘です。母親は鈴霞を産んですぐに亡くなっており、父親は流行《はや》り病で亡くなっています。父亡き後は兄と暮らしていましたが、兄は借金の返済のために妹を女衒《ぜげん》に売ったとか」

その借金は兄が博打《ばくち》と女遊びで作ったものだと聞き、憤《いきどお》りを覚える。

「妓楼《ぎろう》へ連れていかれる途中で逃げ出し、天仙飯庄の主人に拾われて天仙飯庄で下働きとして働き始めたのが十年前。その後、料理人見習いになり、十五のときからは客に料理を出すことを許されています。兄とは生き別れになっており、付き合いはないようですね」

「恩人である天仙飯庄の主人が人質に取られているのか？」

「主人と妻子は普段通り平穏に暮らしています」

我が子同然に可愛がっていた鈴霞を案じて、行方《ゆくえ》を探させているという。

「栄家の口添えで天仙飯庄の龍尾《りゅうび》が増えていますので、報酬《ほうしゅう》はそれかと」

「龍尾だけでは割に合わない仕事だ。家族がいないなら、恋人か、許嫁《いいなずけ》かもしれない」

端午節《たんごせつ》の宴席で、鈴霞は何かの紙切れを盗み見ていた。あれは男からの手紙か？

「恋仲の男はいなかったようです。天仙飯庄の主人夫妻も、鈴霞の同輩もそう話しています」

彼女に恋人がいないと聞いて安堵《あんど》を覚え、そんな自分に首をかしげた。

偽物の花嫁に恋人がいようといまいと、圭鷹には関係ないことなのに。

「天仙飯庄そのものを人質にされたのかもしれない。恩人の店をつぶすと脅《おど》されれば、従わざるを得ないだろう」

鈴霞が報酬のためだけに皇太子妃の身代わりを引き受けたとは思えない。いや、思いたくないのだろうか。気づけば、やむを得ない事情を探している。

「本物の栄宵麗は自邸に勤めていた料理人にさらわれたとか。栄家の主人は憤っていたそうですが、一方で、料理人と宵麗は恋仲だったという証言も多く、駆け落ちの線が濃厚です」

「駆け落ちした令嬢の身代わりにさせられたか……。不運なことだな」

栄家は血眼《ちまなこ》になって宵麗を探しているだろう。本物が見つかったら、何食わぬ顔で入れかえるつもりだろう。——そして、鈴霞を消すのだろう。

本人には仕事が済めば元の暮らしに戻すと約束しているのかもしれないが、栄家にそのつもりがないことは、火を見るよりも明らかだ。身代わりの事実を知る鈴霞を野放しにしておくはずがない。用無しになれば、彼女は始末される。

（やむを得ない事情で替え玉に仕立て上げられたのなら、減刑されるべきだ）

栄家には相応の罰を受けさせるが、鈴霞には慈悲《じひ》をかけてもいい。天仙飯庄に戻れるよう手配しよう。彼女はそれを望んでいるだろうから。

（……鈴霞というんだな）

偽の花嫁の名を味わうように胸の中で唱える。宵麗よりも彼女にふさわしい響きだ。

（天仙飯庄では、どんなふうに暮らしていたんだろうか）

鈴霞は厨房に立っているときが一番楽しそうだ。天仙飯庄で生き生きと働く彼女が目に浮かぶ。料理の腕前だけでなく、持ち前の明るさで食事に華を添えていたに違いない。

「……騒がしいな」

恒春宮《こうしゅんきゅう》に入り、明杏の部屋の近くを通りかかると、妹のわめき声が聞こえてきた。

「だから、妾《わらわ》じゃないって言ってるでしょ！」

また癇癪《かんしゃく》でも起こしているのだろうと、聞き流して通りすぎようとしたとき。

「何も知らないわ！　あれから青膳房には近づいてないんだもの！」

青膳房、という単語が耳に引っかかり、圭鷹は立ち止まった。

「では、本当に公主様はご存じないのですね？」

落ち着いた声音《こわね》は、栄妃――鈴霞のものだった。

「何度もそう言ってるじゃないの！　分かったら、さっさと出てって！」

明杏が苛立《いらだ》たしげに声を張り上げる。いったい何事かと、圭鷹は部屋に入った。

「何の騒ぎだ？　外まで声が聞こえているぞ」

「お兄様！」

長椅子《ながいす》に腰かけていた明杏が駆け寄ってきた。

「栄妃ったら、妾が料理に灰をかけたって言うのよ！　そんなことしてないのに！」

芙蓉《ふよう》が描かれた屏風《びょうぶ》の前に立つ鈴霞を指さし、明杏は唇を尖らせた。

「証拠もないのに、妾を犯人って決めつけるなんてひどいわ！」

「まず状況を説明しなさい。料理に灰がかけられていたというのは？」

「これですわ」

鈴霞は女官に持たせていた鍋を持ってこちらに来た。彼女がふたを開けるので、圭鷹は中をのぞきこむ。煮物のようなものだった。灰まみれでよく見えない。

（牡丹槐《ぼたんかい》の灰か……？）

真珠《しんじゅ》を砕いたように真っ白な灰からは、ふんわりと牡丹に似た香りがする。

「できた料理を調理台に置いて、青膳房から離れたのです。戻ってきたら、この有様で……」

鈴霞は悔しそうに唇を嚙《か》んだ。泣き出しそうになるのを我慢しているようにも見える。懸命に作った料理が台なしになったのだ。やりきれないのだろう。

「妾は関係ないわよ！　決めつけないでよね！」

「落ち着きなさい、明杏」

圭鷹は苛立つ明杏をやんわりとなだめた。

「なぜ自分が疑われたか考えてみなさい。青膳房で栄妃にいやがらせをしたのは誰だったか」

「……で、でも、今回は違うわ！　妾は灰なんてかけてない！　疑うのなら、御膳房の長官に訊いてみてよ。妾が青膳房の鍵を持っていったかどうか、調べてみればいいわ」

「そうだな。御膳房に確認してみよう。――央順」

詳しく話を聞くため、御膳房の長官を東宮に連れてくるよう命じた。

「栄妃、君も憶測で人を責めるべきではない。宮中では軽率《けいそつ》な行動は慎《つつし》まなければ」

「……申し訳ございません、殿下、公主様」

鈴霞は鍋を女官に持たせて丁寧《ていねい》に頭《こうべ》を垂れた。いつもの元気がないしおらしい態度が、彼女の心中を代弁しているようだった。

うつむき加減で退室の挨拶《あいさつ》をして、鈴霞はしずしずと裙の裾《すそ》を引きずりながら出ていく。

「栄妃が厨房に立たなければ、こんなことにはならないのよ」

聞こえよがしに明杏が言うので、圭鷹は妹を軽く睨んだ。

「何よ、栄妃の味方ばっかりして。あんなの、自作自演かもしれないじゃない。お兄様の同情を惹《ひ》こうとして、竈《かまど》の灰を自分で料理にかけたんでしょ」

「それはない。あの灰は真っ白だったし、ほのかに牡丹槐の香りがした。青膳房の竈で牡丹槐は使わない。そもそも牡丹槐を使うのは茶人《さじん》くらいで……」

言いながら、ああそうだったと納得した。

鈴霞が厨房に立つことを嫌っている人物は、もう一人いたのだ。


「栄妃様……あまり気を落とさないでください」

鈴霞が椅子に座ったままぼーっとしていると、まあさんが気遣わしげに声をかけてきた。

後宮から自室に戻って、どれくらい経ったのだろう。何気なく外を見やると、内院《なかにわ》に面した格子窓《こうしまど》がぱっと光った。夕立だ。盥《たらい》をひっくり返したような大雨が地面を叩いている。

(誰が、あんなことを)

腹が立ったというのは事実だ。丹精込めた料理を灰だらけにされたら、誰だって頭に血がのぼるだろう。だが、鈴霞の心を掻《か》き乱しているのは、怒りとは別の感情だった。

(……父さん)

灰まみれの料理を見て、父を思い出してしまった。

鈴霞は母を知らない。母は鈴霞を産んだその夜に息絶えてしまったそうだ。母親がいない生活を寂しいと思ったことはない。父は母の分まで鈴霞を大事にしてくれた。

早朝から畑を耕して、山で木を切って、粗末な食事をして、あばら家で眠る。

貧しい暮らしだったけれど、温かい思い出は数えきれないほどある。

『ねえ父さん、戦《いくさ》で大活躍したときのことを話して』

鈴霞が筵《むしろ》を敷いただけの寝床でねだると、父は身振り手振りで武勇伝を語った。

『父さんは左腕を斬《き》り落とされても諦めなかった。まだ右腕が残っていたからな。首一つになっても食らいつく勢いで敵将に斬りかかり、ついに討《う》ち取ったんだ』

若い頃、父は異民族討伐《とうばつ》のため、徴兵《ちょうへい》されて歩兵として辺境へ出征した。激しい戦いの末に左腕を失ったが、敵将の首を討ち取ったのだという。

『私、大人になったら、父さんみたいな強くてかっこいい人と結婚する！』

勇ましく敵をやっつけた父が誇らしくて、肘から先がない父の腕にしがみついたものだ。

六つのとき、村は二十年ぶりの大飢饉《だいききん》に襲われた。ただでさえ苦しい生活はいっそう苦しくなり、粟《あわ》の粥《かゆ》は食卓にのぼらなくなって、草木を煮て飢えをしのいだ。

家族三人で肩を寄せ合って暮らしていたが、不運なことに、鈴霞は村で流行《はや》り始めた熱病にかかってしまった。竈の中にいるみたいに全身が熱く、節々がぎしぎしと痛んだ。

呼吸に喘鳴《ぜんめい》が混じり始めた鈴霞に、父が奈落芋《ならくいも》の羹《スープ》を食べさせようとした。深刻な日照りのせいで奈落芋すら採れなくなってきており、数ヶ月は食べていなかった。

『父さんは……？　食べたの？』

『食べすぎて腹がはちきれそうだ』

畑を掘り返していたら、たくさん採れたのだと、父は鈴霞を励《はげ》ますように笑った。

『これはおまえの分だよ。しっかり食べて元気になりなさい』

嘘に決まっている。父は痩《や》せこけていて、少しも満腹には見えなかった。骨ばった指はいつにもまして傷だらけで、短い爪には泥が詰まっていた。

きっと山に入って方々を掘り返してきたのだ。山には奈落芋が自生しているが、村人たちがほとんど採ってしまっている。羹《スープ》一杯分の奈落芋を見つけるのが、どれほど大変だったか。

鈴霞は泣きながら、苦い奈落芋の羹を食べた。病が辛《つら》くて泣いているのか、父の嘘が切なくて泣いているのか、羹が苦くて泣いているのか、分からなかった。

滋養《じよう》のある奈落芋が病を祓《はら》ったのか、鈴霞は無事に冬を越すことができた。

しかし、今度は父が同じ病にかかってしまった。

鈴霞は畑を掘って奈落芋を探した。父が種芋を植えたと言っていたのだ。けれど、畑中を探しても実りはない。山の中を探しても何の収穫もなかった。

近所の家々を回って、奈落芋を少しでいいから分けてくれないかと頼みこんだ。奈落芋を食べれば父の病気は治るはず。鈴霞だって奈落芋のおかげで生きのびられた。

『盗人《ぬすつと》の子にくれてやる食い物はないよ』

鈴霞が戸を叩くと、老婆《ろうば》はうるさそうに顔をしかめた。腹立たしいことに、村人たちはかねてから父のことを盗人と呼んで遠巻きにしていた。

『私の父さんは異民族をやっつけた英雄よ！　盗人なんかじゃないわ！』

鈴霞が声を荒らげると、老婆は蔑《さげす》むように鼻先で笑った。

『かわいそうに、あんたは父親の嘘を信じてるんだね。いいかい、盗人の子。あんたの親父は戦になんか行ってない。左腕がないのは、盗みを働いて罰を受けたからだ』

鈴霞と兄は母親が違う。兄の母は村の娘で、父に嫁《とつ》いで息子を一人産んでから数年で亡くなった。やもめになった父は金持ちの令嬢をかどわかし、鈴霞を産ませたという。

『人の娘を盗んだから左腕を斬り落とされたんだ。あんたの親父は盗人なんだよ』

鈴霞は憤慨《ふんがい》して別の家に行った。老婆はでたらめを言っている。

村中を回っても奈落芋は手に入らなかった。家に帰ると、兄が父に羹のようなものを食べさせていた。奈落芋かと思ってのぞきこみ、それが水に溶かした灰だと知って腹を立てた。

『奈落芋なんかないんだよ。父さんみたいに、よそから盗めば手に入るだろうけど』

兄までも父のことを盗人のように言う。

『なんで灰を食べさせるの！　食べ物なら、木の根を煮たのが』

『それは俺たちが食う分だろ！　どうせ父さんは助からないんだから、灰で十分だよ！』

兄は泣いていた。十五になってから、男はめそめそしないんだと威張っていたくせに。

『これはこれで、食えないことはない』

父は灰の羹をおいしそうに食べていた。

『知ってるか？　金持ちの家では、〈天女の白粉《おしろい》〉とかいう粉を料理の隠し味に使うそうだ。

それは何とかっていう木を燃やした灰らしい。鈴霞の母さんが話していたよ』

いつもなら胸が温かくなる父の笑顔がいびつに見えた。

『父さんは……母さんを盗んできたわけじゃないのよね？』

鈴霞が震える声で聞くと、父は泣き笑いのような顔になった。

『……戦で、活躍したから左腕を失くしたのよね？』

父は答えない。兄はすすり泣いている。

『村の人が言ってたの。父さんは盗人だって。母さんを盗んだから、左腕を斬られたんだって。でも、そんなの……嘘よね？』

そうだと言ってほしかった。盗んでいないと言ってほしかった。嘘でもいいから。

『本当だよ、鈴霞。父さんは……罪人なんだ』

父は残された右手で薄い胸を押さえた。血を吐くように息を吐く。

『母さんを……盗んできたの……？　どうして、そんなこと、したの？』

肘から先がない父の左腕。まさかそれが――盗人の証《あかし》だなんて。

『好きだったんだ』

声を詰まらせ、父は額を押さえた。骨と皮ばかりになった手は小刻みに震えている。

『おまえの母さんのことが、好きだったんだよ』

漏《も》れ聞こえる嗚咽《おえつ》は父のものか、兄のものか。考えるより早く鈴霞は叫んでいた。

『嘘つき！　父さんなんか大嫌い！』

家を飛び出し、泣き疲れて帰ってきたときには、父は息を引き取っていた。

嘘をつかれていたことが悲しかった。自分が英雄の娘ではなく、盗人の娘だということに失望した。けれど、それでも――父の最期《さいご》を看取《みと》るべきだった。

武勇伝は嘘でも、父が鈴霞を大切にしてくれたことは本当だった。自分の空腹を堪えて、病気の鈴霞に奈落芋の羹《スープ》を食べさせてくれた。父の温かい気持ちに嘘はなかった。

灰を見ると、胸の中にどろりと残った苦い感情が蘇《よみがえ》ってくる。

天仙飯庄で下働きをしているときも、竈の片付けをするのが辛かった。溜まった灰が、最後の最後で父を見捨てた自分を責めているようだった。料理人見習いになってからは、竈の片付けから離れたので、いくらか楽になったが、火鉢《ひばち》や香炉《こうろ》はいまだに苦手だ。

鍋《なべ》にぶちまけられた灰。父が死の床で味わった、やるせない食事と同じ色。

「……栄妃様？」

まあさんに呼ばれて我に返る。視界が涙で歪んでいた。

「あんなことしたの、誰なのかしらね。食べ物を粗末にするなんて許せないわ」

鈴霞は怒ったふりをして手巾で目尻を拭《ぬぐ》った。後悔しても意味がない。

「栄妃様、殿下がお見えになっています」

別の女官が圭鷹の来訪を告げた。圭鷹が部屋に来るのは初めてだ。どんな用件だろうと疑問に思いつつ、鈴霞は化粧《けしょう》を直してから客間に向かった。

「もう夕餉《ゆうげ》は済ませたか？」

開口一番、圭鷹はそう尋ねた。鈴霞が首を横に振ると、ほっとしたように眉《まゆ》を開く。

「じゃあ、これを食べてみてくれ」

央順に持たせていた三段の食盒《じゅうばこ》を円卓に置く。一段目は小皿と銀の箸《はし》。二段目には煮物のようなものが入っていた。ようなもの、というのは真っ黒でよく見えないからだ。

「君が書いた鶏肉の焦がし煮の食譜《レシピ》を厨房《ちゅうぼう》で見つけたから、試しに作ってみた。見た目は悪いが、食べられないことはない」

圭鷹は煮物のようなものを匙《さじ》ですくって小皿によそった。

「殿下が……お作りになったんですか？」

「そうだと言っている」

鈴霞は目を瞬かせた。真っ黒料理と圭鷹を交互に見る。

「食べたくないか？　だったら、食べなくてもいい。正直言って、さほど出来はよくないし、君は舌が肥《こ》えているから、下手《へた》な料理は――」

「いただきます」

鈴霞は小皿を取り、圭鷹作の鶏肉の焦がし煮を銀の箸で一口分つまんだ。鈴霞が作ったものは綺麗《きれい》な飴《あめ》色だったが、こちらは見事な漆黒《しっこく》である。食べてみると、予想以上に焦げた醤油《しょうゆ》の味がした。細かく刻みすぎた鶏肉と葱《ねぎ》は無残に煮崩れており、原形をとどめていない。

焦げ臭《くさ》くて、塩辛くて、苦い。

お世辞《せじ》にもおいしいとは言えないのに、なぜか──おいしい。

「……泣くほどまずいか」

鈴霞がぽろぽろと涙をこぼすと、圭鷹は落胆《らくたん》したようにつぶやいた。口直しの茶を持ってくるようにとまあさんに命じる。

「これでも四度作って一番出来が良かったものなんだが……。すまなかったな。無理して食べなくていいぞ。残ったものは私が……栄妃⁉　なぜ食べるんだ⁉」

鈴霞が漆黒のどろどろをもぐもぐと食べ出したので、圭鷹は慌てた。

「もしかして……結構うまいのか？」

「まずいです」

小皿が空《から》になったので、匙でたっぷりとよそう。

「でも、おいしいです」

一口食べるごとに、じわっと涙があふれる。

鈴霞の食譜を見ながら、危なっかしい手つきで鶏肉を切ったり、真剣な顔つきで醤油《しょうゆ》を量ったり、味見をして眉間に皺《しわ》を寄せたりする圭鷹が目に浮かんだ。奈落芋を皮付きのままぶつ切りにして茹《ゆ》でることしかできない彼が、鈴霞のために作ってくれた料理。

おいしくないはず、ないじゃないか。

「本当にまずいわ。どうして同じ材料を使ってるのに、こうもまずいものになるのかしら。ある意味、天才ですよ、殿下。まずい料理を作らせたら右に出る者はいません」

「……お褒《ほ》めにあずかり光栄だ」

溜息まじりに言って、圭鷹は椅子《いす》に腰かけた。彼が隣に座るよう言うので従う。しばらく無言で口を動かしていた。まずくておいしい料理をじっくりと味わう。

「殿下は召し上がらないんですか？」

「私はいい。三回分の失敗作を食べてきたから満腹だ」

圭鷹は気分が悪そうに胃の辺りをさする。

「やはり私は料理にむいていないようだな。簡単な食譜《レシピ》でもだめらしい」

「だめってことはないですよ。ちゃんと食べ物になってますから」

そうか、と圭鷹は苦笑いした。

「ところで、この料理書の中で作れそうなものはあるか」

分厚い冊子本を差し出す。鈴霞は箸を置いて受け取り、ぱらぱらと眺めた。

「難しそうだけど、やりがいがありそうな食譜ですね。著者は……え、唐仲来《とうちゅうらい》!?」

黒焦げ料理が喉《のど》に詰まって咳《せ》きこんだ。まあさんが持ってきてくれた茶をぐびぐび飲む。

「これ、唐仲来の料理書じゃないですか！　なんでこんな貴重なものを私に!?」

「君に作ってほしいんだ。ある人を納得させるために」

「ある人って誰ですか……ん？　〈天女の白粉〉って何だっけ」

鈴霞は豚肉の桜桃煮《おうとうに》の材料として書かれたそれに目をとめた。誰かに聞いたことがある。何かの別名だったような気がするが。

「君が厨房に立つことを快《こころよ》く思っていない人に、君を厨房に立たせてもいいと思わせたい。そのために唐仲来の料理が必要なんだ」

圭鷹は優雅な所作《しょさ》で茶杯を傾けている。鈴霞は彼の横顔を盗み見た。

（……優しくしているつもりはないって、殿下はおっしゃるけど）

舌に残った苦味がいっそう強くなった。

「殿下、あの……ごめんなさい」

騙していて、とは言えない。私は栄家のお嬢様なんかじゃないんです、とは言えない。洗いざらい告白して謝りたいけれど、天仙飯庄にまで累《るい》が及ぶことを考えると黙るしかない。

罪悪感が喉を焼き、言葉が出てこなくなった。

「謝らなくていい」

圭鷹は手巾で鈴霞の口元をそっと拭った。たれがついていたのだろうか。

「君は何も悪くないんだ」

柔らかい声音《こわね》が胸にしみる。目尻に涙がにじみそうになり、必死で我慢した。

（……泣く資格なんかないわ）

父のことを嘘つきだと罵《ののし》ったくせに。裏切られたと憤《いきどお》ったくせに。

自分は、こんなにも優しい人を騙しているのだ。


その日、班太后の住まい——秋恩宮《しゅうおんきゅう》に客人がやってきた。

「久しぶりですね、圭鷹」

班氏《はんし》は黒漆塗りの紫砂茶壺《しさきゅうす》で白茶を淹《い》れた。

高雅な香りが落ち着いた調度で整えられた茶寮を物静かに包む。

「近頃は主上のお渡りもなく、ここはわびしさを増すばかり。どうやら妾《わらわ》は皇宮の厄介者《やっかいもの》のようです。手塩にかけた孫でさえ、なかなか訪ねてきてくれないのですからね」

じゃじゃ馬娘がそのまま母になったような呉皇后《ごこうごう》に世継ぎの養育など任せられないと、圭鷹を秋恩宮で育てるようになってから早二十年。

班氏の教育が功を奏し、圭鷹は天下泰平《てんかたいへい》の世にふさわしい勤勉で実直な世継ぎになった。

しかし、孫としては落第点だ。この頃ぱったりと秋恩宮を訪ねてこなくなった。

「申し訳ございません、祖母上。政務に忙殺され、すっかり足が遠のいてしまいました」

圭鷹は流れるように恭《うやうや》しく頭《こうべ》を垂れた。整った容姿も欠点のない立ち居振る舞いも、かつての今上帝《きんじょうてい》――嵐快《らんかい》とそっくりだ。

（妾に二心《ふたごころ》あるところも父親譲《ゆず》りとはね）

秋恩宮から足が遠のいた原因が、栄家から来た花嫁だということは聞き及んでいる。二人並んで厨房に立っているというではないか。庶民《しょみん》の夫婦ではないのだから、そこまで馴れ合う必要などないのに。みっともないことだ。

本音を口に出したら、年寄りのひがみだと嵐快に笑われるだろう。年を取るごとに、嵐快は母親に対して遠慮《えんりょ》がなくなる。もっと御《ぎょ》しやすく育てたはずなのに、とんだ誤算だった。

（あの女のせいだわ）

先帝の妃嬪《ひひん》だった方寧妃《ほうねいひ》――のちの方柔妃《じゅうひ》――が事もあろうに当時、皇太子だった嵐快をたぶらかして身籠《みごも》った。班氏は不義の子が生まれないよう、彼女に堕胎《だたい》薬を飲ませた。

それからだ。嵐快が実の母親と距離を置くようになったのは。

男というものは、女から生まれ、女の手で育てられ、女の肌を知って様変わりする。息子で犯した失敗を繰り返さないため、圭鷹には班氏に従順な令嬢をあてがうつもりだったのに、嵐快の一存で栄家の娘が皇太子の花嫁に選ばれてしまった。

皇帝の命令を覆《くつがえ》す力を、今の班氏は持っていない。嵐快の即位当初、朝廷は班一族の独壇場《どくだんじょう》だったが、ほかならぬ我が子によって権勢を削《そ》がれ、いまや班家は呉家よりも下の扱いだ。

昨今では日がな一日茶寮に籠り、女官相手に愚痴《ぐち》をこぼすしかない。

「食が細っていらっしゃるそうですが、体調に障りありませんか」

「耳順《じじゅん》を過ぎれば、誰しも食は細ります」

班氏は圭鷹に茶を勧めた。

「祖母上のために、今日は料理を一品ご用意いたしました」

椅子に腰かけて茶を飲んだ後、圭鷹は央順に命じて食盒《じゅうばこ》を円卓に置かせた。

ちょうど昼時である。とはいえ、唐仲来が死んでから食欲はめっきり減ってしまった。

「祖母上がお好きな豚肉の桜桃煮です」

班氏は見るともなしに、涼しげな蓮池《はすいけ》文様の青花磁器《せいかじき》に盛られた料理を眺めた。さいの目に切った豚肉を、醬油《しょうゆ》、酒、酢、砂糖などの調味料で味付けして、新鮮な桜桃とともに壺に入れ、とろ火で長時間煮込んだものだ。ほろほろと崩れる柔らかな肉と、桜桃の甘い香りを楽しむ一品で、唐仲来の得意料理だった。

「心遣いは嬉しいけれど、唐仲来の味は再現できていないでしょう」

唐仲来の料理は班氏のお気に入りだった。息子との関係がうまくいかずに苛立《いらだ》ちを募《つの》らせているときでも、唐仲来が作った料理を口にすれば憂鬱《ゆううつ》な気分が吹き飛んだ。

魚の乳酪《チーズ》蒸し、空豆《そらまめ》の芥子《からし》菜《な》炒め、冷たい蛤《はまぐり》の上湯《スープ》、春菊と鰻《うなぎ》の揚げ煮、桂花《もくせい》の糕《カステラ》……。

作り手がいなくなった後も、繊細で絶妙な味付けが忘れられなかった。

幾度となく、唐仲来の食譜を御膳房の料理人に再現させようとした。どれも満足のいく出来ではなかった。姿形はそっくりにまねていても、何かが足りないのだ。

「せっかくお持ちしたのです。どうか一口だけでも召し上がってください」

圭鷹が微笑《ほほえ》みを添えて勧めてくる。孫の厚意を突っぱねるわけにもいかず、班氏は女官に毒見を命じた。厳《いか》めしい女官が銀の箸で豚肉をつまみ、口に運ぶ。そして目を見開いた。

常に無表情で毒見する女官が反応を示したので、班氏は鼻先で笑った。

「よほど下手《へた》な味付けのようですね。唐仲来の料理は、やはり本人にしか……」

「太后様、どうぞお召し上がりくださいませ」

女官が一口分、小皿に取って班氏に勧めた。

班氏はしぶしぶ箸を取り、上質な瑪瑙《めのう》のようにつやつやと光る豚肉を口に入れる。

とたん、上品な酸味を帯びた甘さがふわっと口内を包んだ。

肉は蕩《とろ》けるように柔らかく、咀嚼《そしゃく》するまでもない。

上質な醬油《しょうゆ》の風味を残しながら、淡雪のように舌の上で溶けていく。

肉が消えた後に感じるのは桜桃の瑞々《みずみず》しさだ。まるで仙桃《せんとう》を食べたかのようにすがすがしいのに、決して淡白《たんぱく》ではなく、しっかりと満足感が残る。

まさに唐仲来の味である。懐かしさがこみ上げて、目尻に涙がにじんだ。

私心なく仕えてくれた料理人が帰らぬ人となったと聞いたとき、班氏はその場にくずおれて号泣した。夫を亡くしたときでさえ、涙一つこぼさなかったのに。

奸臣《かんしん》たちが闊歩《かっぽ》する宮中で、忠臣を得るのは星をつかむに等しい。どんなに目をかけても、臣下たちはたちまち恩義を忘れる。そんな皇宮にあって、唐仲来は泥中《でいちゅう》の蓮《はちす》だった。

悪臣が唐仲来の息子を人質にして班氏の食事に毒を盛るよう脅したとき、唐仲来は断固として拒否した。その結果、彼は妻が遺《のこ》した最愛の息子を喪《うしな》った。

『太后様を弑《しい》せば、息子は助かったかもしれません。なれど、太后様の料理人としての唐仲来は、主君殺しの汚名を着て死んでいました』

班氏は彼がどれほど子煩悩《こぼんのう》な父親だったか伝え聞いていた。

息子の墓前で啼哭《ていこく》していたことも、息子を亡くしてから病気がちだったことも、後妻に迎えてはどうかと班氏がひそかに送りこんだ美人を丁重に帰していたことも。

「唐仲来が生き返ったのかと思うような出来映えですね」

班氏は袖口《そでぐち》で目元を拭《ぬぐ》った。舌に馴染《なじ》んだ味が昔日《せきじつ》を蘇《よみがえ》らせる。

『どうしてかしら。ときどきふと、幼き日のそなたを思い出すことがあるのです』

幼き日のそなたなど知るはずもないのにね、と笑ったのはいつだったか。

自ら腹を痛めて産んだ子を見るように、班氏は唐仲来を見ていた。

良家の令嬢を娶《めと》らせたのも、広い邸を建ててやったのも、病気にかかったときに太医《たいい》を遣わしたのも、料理人に対する恩賞《おんしょう》にしては行き過ぎていた。

ぎくしゃくする実子との関係を、唐仲来で埋め合わせしようとしていたのかもしれない。

『無礼を承知で申し上げれば、太后様は私の母に似ていらっしゃいます』

幼少の頃に実母を亡くしたため、班氏を母のように慕《した》っていると彼は語ってくれた。

だからこそ、唐仲来の訃報《ふほう》を聞いた班氏は、我が子を亡くした母のように哀泣《あいきゅう》したのだ。

「お気に召していただけたでしょうか」

「ええ……。これを作った料理人は誰ですか。すぐにでも秋恩宮に寄越しなさい」

我が子同然の料理人が書き遺した美食の数々。

それらを再び味わうことができるなら、うら寂しい余生がどれほど華やぐだろう。

「恐れながら、いたしかねます」

圭鷹は穏やかに言った。

「そんなにその料理人を気に入っているのですか」

無理もない。唐仲来の食譜《レシピ》をそのまま再現できる料理人は、そうそういないのだ。

「もちろん、気に入っていますが、理由はもう一つあります」

圭鷹は席を立った。茶寮の扉が開かれ、酔芙蓉《すいふよう》をまとったような衣装の娘が入ってくる。

栄宵麗――呉皇后に連なる名家から嫁《とつ》いできた、圭鷹の花嫁だ。

「彼女は私の妃なので、祖母上には差し上げられません」

「何ですって？　これを作ったのは、その……」

班氏は絶句した。この小娘が唐仲来の料理を作ったというのか。

信じられない。御膳房の料理人が束になっても班氏を満足させられなかったのに。

「今後、私の食事は栄妃に任せようと思います。何しろ腕前が確かですから」

圭鷹が視線を投げると、栄妃は大きな目を真ん丸にして未来の夫を見返した。

(……なるほど、こちらが本題だったのね)

庶民《しょみん》の妻よろしく厨房《ちゅうぼう》に立つ栄妃が気に入らなかったから、料理に灰をかけさせた。茶寮で湯を沸かすのに使う牡丹槐《ぼたんかい》の灰を女官に持たせたのは、栄妃に知らしめてやりたかったからだ。皇太子妃らしからぬ行動が皇太后の怒りを買っているのだと。

(父よりもしたたかになったようですね、圭鷹)

班氏が方寧妃に堕胎《だたい》薬を飲ませたと言ったとき、嵐快は怒りに任せて母親を罵倒《ばとう》した。圭鷹のほうが一枚上手だ。完璧《かんぺき》に再現された唐仲来の料理で班氏に抗議してみせた。今後も栄妃を厨房に立たせるつもりだと、祖母の意向には従わないと宣言してみせたのだ。

栄妃の料理が灰まみれになった事件には、まったく触れずに。

(なんとまあ小賢《こざか》しいこと)

溜息をつきながら、久しぶりに心が弾むのを感じていた。

こうも抜け目なく立ち回ることができるようになったのだ、我が孫は。

「独り占めは許《じ》しません」

班氏は椅子《いす》の背にもたれ、絹団扇《きぬうちわ》をゆるりと動かした。

「唐仲来には遠く及びませんが、そなたの女料理人はなかなか見込みがあるようです。努力を惜しまず、腕を磨《みが》きなさい。唐仲来の味を最もよく知る妾が鍛えてあげますから」

うらぶれた毎日はおしまいだ。班氏は高揚《こうよう》のままに微笑んだ。

「よいですね、圭鷹。栄妃をときおり妾にお貸しなさい」

「〈天女の白粉《おしろい》〉が牡丹槐の灰だったとはな」

圭鷹は鈴霞の手を取って輿《こし》から降ろした。

後宮から東宮へ帰ってきたところだ。小雨が降っているので大ぶりの傘をさす。

「よく分かったな、栄妃」

「あ、ええと……どこかでそんな話を聞いたことがあって……」

豚肉の桜桃煮《おうとうに》の食譜《レシピ》には、隠し味として〈天女の白粉〉を入れると記されていた。これがいったい何なのかで、御膳房の料理人たちはずいぶん頭を悩ませたものだ。

（そういえば、唐仲来は並許の出身だったな）

鈴霞も呂守国の並許出身だ。同郷人だからこそ、分かったのだろうか。

「さっきのことですけど」

鈴霞が見上げてくる。黒髪に映える金の歩揺《ほよう》が踊るように揺れた。

「殿下、私に食事を任せるっておっしゃいましたよね？　あれって本当ですか」

「いや。あれくらい言わないと、祖母上は君が厨房に立つことを許してくださらないからな」

「なあんだ。じゃあ、嘘なんですか」

鈴霞はがっかりしたふうに眉尻《まゆじり》を下げた。

「殿下のためにどんなもの作ろうかなって、ちょっと浮かれてたのに」

「作りたいのか？　私のために」

小雨を弾き飛ばす勢いで「はい！」と返事をして、鈴霞はからりと笑う。

「殿下はいい人だから、おいしいものを食べていただきたいんです」

「私は……いい人なんかじゃないぞ」

「自覚ないんですか？　すごく優しい人ですよ、殿下って」

何か言い返そうとしてやめる。苦笑を浮かべて、弱々しい雨に濡れる昼顔を見やった。

――優しい人。

棘《とげ》のように突き刺さった言葉が、封じたはずの苦い感情を呼び覚ます。

『目をそらすな』

冷ややかな父の声が耳元で蘇った。

『しかと見据えよ。おまえが殺した者の最期《さいご》を』

あれは圭鷹が十四になったばかりの頃のことだ。

真夏の太陽が地面を焦がし、風が死に絶えた午後。

圭鷹は少しでも涼しくなろうと池のそばの四阿《あずまや》に来ていた。歴史の教師から出された課題をこなそうとしていたが、朝も昼もろくに食べていないので頭が働かない。

とりあえず何か胃袋に入れなければならない。暑くて食欲はないので、冷たいものを用意するよう命じた。作り手に指名したのは、当時一番気に入っていた料理人。彼は唐仲来に優るとも劣らない腕前で、食欲がなくても食べられるものを作れるだろうと期待した。

しばらくして運ばれてきた蓮《はす》の葉粥《はがゆ》を食べようとして、央順に止められた。

『毒見いたします』

その頃の央順は頭巾をかぶっておらず、女官たちの視線を集める美男子だった。

圭鷹は必要ないと言った。早く食べて課題を済ませたかったし、作り手を信頼していた。彼の料理なら、毒見させずに食べることもあった。

『毒見をさせていただけないなら、召し上がっていただくわけにはまいりません』

央順がしつこいので、圭鷹はよく冷えた玻璃《はり》の器を彼に渡した。毒見が済んでから、金の匙《さじ》で粥をすくう。口に運ぼうとした刹那《せつな》、央順が力任せに圭鷹の腕を叩いた。

何をするんだ、と眉をひそめたときだ。央順が血を吐いたのは。

彼が胸を掻《か》きむしってくずおれ、自ら吐いた鮮血の上に倒れこむまで、ものの数秒。

圭鷹が央順に駆け寄ったのは、それからさらに数十秒後だった。

後宮警吏《こうきゅうけいり》の調べで、蓮の葉粥に鬼哭珠《きこくしゅ》という猛毒が入っていたことが分かり、粥を作った料理人が捕らえられた。

『お、お許しください、殿下！』

獄舎《ごくしゃ》から引っ立てられてきた料理人は圭鷹の足にしがみついた。獄中で拷問《ごうもん》を受けたのだろう。衣服は破れ、爪は剝《は》がれ、体中に血がにじんでいた。

『娘が重病で……どうしても金が入りようだったので、つい……。どうか、お慈悲《じひ》を……！

私が死ねば娘の面倒を見る者がいなくなります！　お願いですから……』

哀れみではなく、恐怖を感じた。血まみれの男に抱きつかれて怯《おび》えていたのだ。

『罪人の戯言《ざれごと》に耳を貸すな』

父帝が立ちすくむ圭鷹の肩をつかんだ。武官たちに命じて料理人を圭鷹から引きはがす。

『この者の罪は明らかだ。毒を盛った者は同じ毒で戒《いまし》めるという古来の法がある。分かるな、圭鷹。こやつにどんな罰が似合いか』

宦官《かんがん》が盃を持ってきた。盃の上には豪華な金塗りの毒杯。

『お、お助けください、殿下！　命だけは……命だけは……！』

武官に両腕を拘束《こうそく》された料理人が泣き叫ぶ。ずきり、と胸が痛んだ。圭鷹は彼の料理が好きだった。重病の娘がいることを知っていたら、医者代くらい出してやったのに。

『……父上、処罰は後日にしていただけないでしょうか。誰に命じられて毒を盛ったのか、はっきりさせなければなりません。せめて、それまでは』

『ある宦官に話を持ちかけられたそうだ。おまえに毒を盛れば大金を支払うと』

父帝が切って捨てるように言うと、料理人は身を乗り出した。

『その通りです！　高位の宦官でした！　顔を隠していましたが、女のような美しい声をしていて……きっと高貴な方の遣いです！　その方が殿下のお命を狙って……』

『圭鷹、こやつを断罪せよ』

父帝は冷酷《れいこく》に言い放った。

『素性《すじょう》も分からぬ者に皇子の暗殺を依頼され、金に目がくらんで易々と応じた罪人だ』

『……ですが、長年仕えてくれましたし、少しは減刑しても』

『そうか。ならば、おまえは廃嫡《はいちゃく》だ』

父帝は急に笑顔になった。圭鷹の肩からぱっと手を離す。

『おまえを皇太子にすることも考えていたが、考えを改めよう。非情になれぬなら、皇位にはふさわしくない。庶人《しょじん》になり、どこへなりとも行くがよい』

『そ、そんな……父上』

廃嫡。舌がもつれる。混乱が頭の中を引っかき回した。

『皇位《こうい》が欲しいか？　ならば、自らの口で罪人に死を命じよ』

父帝の面《おもて》から笑みが削《そ》ぎ落ちた。父親の顔ではない。皇帝の顔だ。

『玉座にのぼれば、おまえは多くの者に裏切られるだろう。親しくしていた人間に殺意を向けられるだろう。信頼していた相手に失望させられるだろう。そのたびにおまえは罪人を哀れんで罪を免じてやるのか。泣き叫んで命乞いをすれば、どんな重罪も軽くしてやるのか』

名君の誉《ほま》れ高い父帝の朝廷でさえ、反逆者はいた。私腹を肥《こ》やす官吏《かんり》も。

『罪人が容易《たやす》く許される国で、いったい誰が法を守るというのだ』

鞭《むち》のような言葉に頬《ほお》を叩かれ、圭鷹は肩を震わせた。

『自分の口で罪人に死を命じるのが怖いか？　自分の手を汚したくないから、誰か他のやつにやらせるか？　それがどれほど卑劣《ひれつ》な行いなのか分からぬほど、愚かなのか？』

圭鷹がうなだれると、父帝は息子の両肩に手を置いた。

『善良な人間でいたければ、皇宮を去れ。玉座にのぼるつもりなら、自ら手を汚す覚悟をしろ。恩情《おんじょう》だけでは天下を治められない。ときには非情な決断をしなければ』

ずっしりと両肩にかかる、その重さ。

『おまえはもう十四だ。進むか、退くか、自分で決められるはずだ』

圭鷹は目を閉じた。料理人が泣きながら助けてくれと叫んでいた。彼が作る料理は本当においしかった。父帝に叱られて落ちこんでも、彼の料理を食べれば元気になった。

けれど、彼が圭鷹に毒を盛ったのは事実だ。皇族殺しは、未遂《みすい》であっても死罪。

圭鷹は料理人の名を呼んだ。目を開けて、彼に向き直る。

『おまえは私に毒を盛った。その罪は重く、許しがたい。ゆえに……死をもって償え』

自分の声が耳を焼いた。これが人殺しの声なのだと。

武官たちが料理人を押さえつけ、腕ずくで毒酒を飲ませた。ほどなくして、料理人が口から血を吐く。圭鷹は思わず顔をそむけた。父帝に肩をつかまれる。骨がきしむほど強く。

『見届けろ。それがおまえの責任だ』

料理人が息絶えるまで、幾日もかかったように思えた。実際にはわずかな時間だったけれど、彼が断末魔《だんまつま》の苦しみを味わう間、圭鷹は瞬きもできなかった。

その翌年、父帝は圭鷹を皇太子に冊立《さくりつ》した。

善良な人間にはのぼれないという玉座への道を約束されたのだ。

——優しい人。

圭鷹は皇位が欲しくて料理人を断罪したのではない。激しい野心を抱くほど苛烈《かれつ》な環境では育っていない。後ろ盾は班太后で、生母は父帝の寵愛《ちょうあい》を一身に受ける皇妃。将来は皇太子だと皆が噂《うわさ》した。何もかも与えられていた。欲しいものが見つからないほどに。

だからこそ、父帝に廃嫡すると言われて動揺《どうよう》した。当然のように与えられてきたものを取り上げられそうになって初めて知った。自分にあるものはすべて——高い地位も、豊かな暮らしも、約束された未来も、この体を動かす心臓でさえ、父帝に与えられたものだと。

そして父帝は、いつでもそれらを取り上げることができるのだということを。

君主になる覚悟をしたわけでも、玉座への第一歩を踏み出したわけでもない。父帝に見捨てられたくない一心で、圭鷹は料理人に死罪を言い渡した。失望されたくなかった。父帝の息子でいたかった。父親の機嫌を取るために人を殺したのと、何も変わらない。

非情になったのではない。卑劣だったのだ。

いい人であるものか。優しい人であるものか。自分ほど下劣《げれつ》な人間はいないと――。

「雨、上がりましたよ」

鈴霞が傘の下からひょいと飛び出した。小雨はやみ、雲間から日の光がのぞいている。だいぶ考えこんでいたようだ。昼顔の小道が紫陽花《あじさい》の小道に変わっていた。

「殿下の食譜《レシピ》作り、続けてもいいですか？」

鈴霞はくるりと振り返った。

「真っ黒料理しかできない殿下のために、もっともっと易しい食譜にしますから」

左頬にえくぼを作って笑う彼女が、やけにまぶしく見えた。

（……これ以上、肩入れするべきじゃない）

鈴霞はあの料理人と同様の立場にいる。放っておけば、彼が歩んだ道をたどるだろう。最悪の事態を避けるために、班太后に気に入られるよう仕向けた。彼女の正体が明らかになったとき、班太后が鈴霞の味方になってくれることを期待して。父帝は甘すぎると鼻で笑うだろうが、圭鷹は鈴霞をあの料理人と同じ目に遭《あ》わせるつもりはない。

しかしそれは、圭鷹が優しいからではなく、臆病だからだ。極力、手を汚したくない。自分の言葉で誰かの命を奪うのが恐ろしい。ただ──それだけのこと。

「大丈夫ですよ、殿下」

鈴霞が圭鷹の右手を取ってぽんぽんと叩いた。

「始めは誰だって失敗するんです。練習すれば、だんだん上手になりますよ」

小さくて柔らかい手。蓮《はす》の花のように真っ白だ。

彼女はきっと人を殺《あや》めたことなどないだろう。過ちを犯したことなど……いや、偽の花嫁としてここにいるのだから、罪の味は知っているはずだ。

(君も苦しんでいるのか)

まだ訊けない。鈴霞の正体を暴くのは、本物の宵麗が見つかってからだ。

尋ねる代わりに、彼女の手を握り返した。まるで共犯者を得たかのように。

「君が教えてくれるなら、上達するかもしれないな」

例の事件以来、圭鷹は料理人が作ったものを口にしなくなった。

できる限り、自分で食べるものは自分で作る。食材そのものに毒を仕込まれてはいけないので、毒性を消す効能があるといわれている奈落芋《ならくいも》を主食にした。

あいにく料理の才能はないから、切って茹《ゆ》でるくらいしかできなかったが、自分で作ったものを食べれば毒を盛られることもない。毒を盛った誰かを処罰することも。

「もちろん、教えて差し上げますよ」

鈴霞が晴れやかに笑う。圭鷹の手を握ったまま、走り出そうとした。

「善は急げです。早速、青膳房《せいぜんぼう》に行きましょう」

「今からは無理だ。政務に戻らないと」

「あっ、そうですよね……」

落胆《らくたん》したふうにこちらを振り仰《あお》いだ二つの瞳。何かの予感が、心臓を射貫《いぬ》く。

「夕餉《ゆうげ》の時間なら空いている。その頃、青膳房で待っていなさい」

本来なら、鈴霞を青膳房から締め出すべきなのだ。彼女に罪を犯させないために。

「殿下でも作れそうな献立《こんだて》を考えておきますね！」

握った手のぬくもりが圭鷹を戸惑わせた。

突き放せない。間違いだと分かっていても、自分で自分を止められない。

（……これがそうですか、父上）

尋ねてみたくなった。祖父の妃嬪《ひひん》を愛してしまった父に。

許されない恋とは、こんなにも何気なく始まるものなのですか——と。

二品目　恋と杏仁茶《アーモンドティ》

「……先日の非礼、心よりお詫《わ》び申し上げます」

鈴霞《りんか》は床に膝立ちになって頭《こうべ》を垂れた。一段高いところの椅子《いす》に座っているのは明杏《めいあん》だ。

あどけない印象の美しい公主様は気だるげに肘掛にもたれている。鳳仙花《ほうせんか》の刺繍《ししゅう》が鮮やかな上襦《じょうじゅ》、胸の上まで引き上げられた裙《くん》は透明感のある空色。小花が舞い散る瑠璃紺《るりこん》の披帛《ひはく》は清水《しみず》のように足元に流れ、裙の裾《すそ》からは粒珊瑚《つぶさんご》が縫《ぬ》いつけられた珠履《くつ》がのぞく。

寒色を基調にした涼しげな衣装は、水辺で涼風と戯《たわむ》れる咲き初《そ》めの花を思わせた。

当の明杏は子どもっぽくぷうっと頬《ほお》を膨らませているのだが。

「別に謝らなくていいわよ。あなたが料理に灰をかけた犯人は妾《わらわ》だって証拠もなく決めつけたことは、綺麗《きれい》さっぱり忘れたの。何とも思ってないわ」

つんけんした口調を聞く限り、思いっきり根に持っている。

「お詫びの印にこちらをお持ちしました」

鈴霞が視線を投げると、まあさんが螺鈿《らでん》細工の食盒《じゅうばこ》を明杏の女官に渡した。

「睡蓮《すいれん》の酥餅《パイ》です。よろしければ、お召し上がりくださいませ」

揚げ酥餅だ。紅花でほんのり薄紅色に染めた生地が睡蓮の花びらのように開き、中に包まれた金茶色の餡《あん》が控えめに顔を見せている。

「ふうん、花の酥餅ね。あなたが作ったの？」

明杏は興味なさそうに一瞥《いちべつ》した。

「はい。餡は橙《だいだい》の果醤《ジャム》を混ぜこんだものです。夏らしく甘酸《あまず》っぱい味に仕上げました」

牡丹《ぼたん》や蓮《はす》、睡蓮をかたどった揚げ酥餅は、蓮の実餡や棗《なつめ》餡など、こっくりした濃厚な餡を包むことが多いが、季節に合わせてさっぱりした餡にしてみた。

「橙の餡とは珍しいですわね。公主様、早速いただきましょう」

「ちょうどよかったわ。本日の午点《おやつ》は何にしましょうかとお話ししていたところでしたの」

公主付きの女官たちがいそいそと茶の支度《したく》を始める。

「食べたければ、あなたたちだけでどうぞ。栄妃《えいひ》が作ったお菓子なんて、妾は食べないわ」

「それでは、わたくしたちだけでいただきましょう」

女官たちは女主人そっちのけで円卓に人数分の白茶《はくちゃ》を用意した。鈴霞とまあさんにも茶杯《ゆのみ》が出されたが、明杏は放っておかれているので受け取っていいものかどうか悩む。

「なんて可愛《かわい》らしい形かしら。食べるのがもったいないわ」

と言いながら、年若い女官が真っ先に酥餅を頬張った。パリパリと小気味よい音がする。

「おいしい！　甘酸っぱい橙の餡が爽《さわ》やかだわ」

「後味がすっきりしていますわね。上品な甘さで、いくつでも食べられそう」

「この皮が癖《くせ》になるわ。薄氷みたいに崩れていくの」

女官たちは幸せそうに微笑《ほほえ》んでぱくぱくと酥餅《パイ》を食べていく。十九個あった睡蓮の酥餅は瞬く間に残り一個になってしまった。

「あと一つしかありませんわ。どうやって分けます？」

「六人で分けたら一人分がかけらになっちゃうじゃない。双六《すごろく》で勝負して決めましょ」

「面倒くさいわねえ。数拳《すうけん》でぱっと決めちゃいましょうよ」

女官たちが争い始めた。うるさいわね、と明杏が肘掛を叩く。

「……ひ、一つ余ったなら、妾が食べてあげてもよくてよ」

「余っていませんわ。誰が最後の一つを食べるか、相談していただけです」

「皆が食べたがっているのでもめているのです。残り物のようにおっしゃらないでください」

女官たちにぴしゃりと言い返され、明杏は椅子から立ち上がった。

「あなたたちは三つずつ食べたでしょ！　一つくらい妾に寄越しなさい！」

「私たちだけで食べてよいと仰せになったのに、今更横取りなさるなんて」

「横取りじゃないわよ。もともと栄妃は妾のために作ってきたんだから。そうよね、栄妃」

「え、ええ。公主様のお口に合えばと」

鈴霞が苦笑いすると、明杏は勝ち誇ったように顎《あご》をそらした。

「ほら、栄妃もこう言ってるわ。最後の一つは妾のものね」

すとんと椅子に座って、金魚が泳ぐ絹団扇《きぬうちわ》でぱたぱたとあおぐ。

「早く持ってきて。栄妃が持ってきたお菓子を食べなかったら、お兄様が文句を言ってきそうだもの。栄妃をいじめてると誤解されるのはごめんだわ」

ぶつぶつ言い訳する明杏に、女官が白磁《はくじ》の皿を差し出す。

「まあ、見た目は悪くないわね。そこそこよくできてるんじゃない？　味は……」

桜桃のような唇を開き、パリパリと軽やかな音を立てて酥餅をかじった。何も言わず一気に平らげ、はたと我に返ったように絹団扇で口元を隠す。

「公主様。御膳房《ごぜんぼう》のお菓子より、おいしいと思いませんか？」

年若い女官が言うと、他の五人がうんうんとうなずいた。

（花の酥餅を御膳房で作るなら、生地係、餡係、成形係、揚げ係って感じに分かれるかな）

御膳房には千人以上の料理人がおり、彼らの仕事は細かく分業されている。

各自の仕事ぶりが見事に調和すれば最高の品になるのだが、なにぶん作り手の技術や癖がばらばらなので、ちぐはぐな出来映えになることも少なくない……と聞く。

「御膳房のお菓子にかなうはずがありませんわ。私の料理なんて、ほんの手慰《てなぐさ》みです」

今日まで食べてきた御膳房の菓子はおいしかったし、自分のほうが上だと驕《おご》るつもりはない。

「ふーん、手慰みで作ったお菓子を持ってきたのね」

茶杯を傾けて、明杏はいやみたらしく言った。

「決してそのようなつもりでは。公主様に喜んでいただければと……」

「手慰みでも何でもいいけど、どうしてもっとたくさん持ってこなかったの？　妾は一つしか食べられなかったじゃない」

明杏はばつが悪そうに唇をねじ曲げた。口の端には酥餅《パイ》のかけらがくっついている。

「妾の女官たちは食い意地が張っているの。これっぽっちじゃ、全然足りないわよ」

鈴霞は目をぱちくりさせ、ふっと笑った。

食べ足りない――料理人にとって、これ以上の賛辞があるだろうか。

「申し訳ございません、公主様。次回はもっと多くお持ちいたしますわ」


青膳房《せいぜんぼう》の調理場には、今夜も明かりが灯っていた。

「……というわけなんですよ」

鈴霞は餃子《ギョウザ》の皮で鴨肉《かもにく》の餡を包みながら、昼間のことを話した。隣では圭鷹が黙々と同じ作業をしている。

「公主様って、つんけんしてて、言い方はきついし、素直じゃないけど、なんだか憎めなくて可愛いですね。花の酥餅がお好きみたいなので、また作って差し上げようかと思ってます。今度は餡を変えてみようかな。橙もいいけど、桃もよさそうですよね」

ついつい口元がほころぶ。素直じゃないところは兄とそっくりだ。

「お名前にちなんで杏っていうのも……殿下、聞いてます？」

「ん？　ああ、悪い。聞いてなかった」

圭鷹は作りかけの餃子から目を離さない。

（……餃子というより団子だわ）

丸い皮に餡をのせて半分に折り、閉じ目を押さえて形を整える。これだけの工程がすんなりできないらしい。半月型になるはずの餃子がなぜか真ん丸の団子型になっている。

「ずいぶん丁寧《ていねい》にお作りになっているんですね」

「君みたいに慣れていないんだ。仕方ないだろう」

さんざんこねくり回した末、やっと納得いく仕上がりになったのか、圭鷹は団子型餃子を大皿の隅っこに置いた。これで三個目である。

すでに二十個作った鈴霞と、十数個作った央順《おうじゅん》からだいぶ引き離されているが、焦る様子はない。重要な政務に取り組むみたいに真剣な顔つきで、四個目を作り始めた。

（正直、央順様のほうが上手なんだけど）

央順は鈴霞が教えた通り、せっせと半月型の餃子を作っていく。生地作りや餡作りのときもコツをつかむのが早かったし、料理の素質があるのだろう。

対して、圭鷹《けいよう》は天性の料理下手だ。生地作りにしても、餡作りにしても、鈴霞の言う通りにしようとしているのに、変なところで間違えたり、斜め上のことをしたりする。

「そこが可愛いのよね」

「何だって？　可愛い？」

圭鷹が視線を投げてくる。鈴霞はにこっと笑みを返した。

「殿下の餃子、可愛いなって思っていたんです」

「……可愛いか？」

やっぱり団子になってしまった四個目の餃子を見て、圭鷹は眉《まゆ》をひそめた。

「茹《ゆ》で上がったら、その真ん丸餃子を一ついただいてもいいですか」

「かまわないが……君の分はたくさんあるじゃないか」

「殿下がお作りになったものを食べたいんです。丸っこくて、ころころしてて、おいしそう」

気を抜くとざっくりしたしゃべり方と令嬢風の物言いが混ざってしまっておかしなことになっていたが、数日前から圭鷹の前では令嬢らしい言葉遣いをしなくなっていた。

『無理をして堅苦しく話さなくていい。君らしく話しなさい』

圭鷹がそう言ってくれたので、気が楽になった。

「君が作ったもののほうが、綺麗《きれい》な半月型でうまそうだな」

「交換しましょうか。私のを二つ差し上げますから、殿下のを一つください」

「なんで君のは二つで、私のが一つなんだ？　不公平だろう」

圭鷹の餃子はやたらと大きいので、鈴霞の餃子二つ分でちょうど釣り合いが取れる。

「皇太子様がお作りになった餃子ですよ。私のより価値があります」

「餃子の良し悪《あ》しに身分は関係ない。君が二つくれるなら、私も二つだ」

圭鷹は自分の大皿から丸々太った餃子を二個、鈴霞の大皿に移動させた。

「じゃあ、私も二つ差し上げますね」

半月型の餃子を二個、圭鷹の大皿に移した。

他人が作ったものは口にしたくないと言っていたが、料理を教えるようになってからは、ときどきこうして鈴霞が作ったものも食べようとしてくれる。

「栄妃様、栄妃様」

黙って餃子作りに勤《いそ》しんでいた央順が近づいてきて、耳打ちした。

「その団子もどき……殿下お手製の餃子を一つ譲《ゆず》っていただけませんか」

「央順様も食べてみたいんですか？」

「怖いもの見たさというか、ゲテモノ食いに挑戦してみたいというか」

「……聞こえているぞ、央順」

圭鷹はむすっとして餃子作りを続けている。

「私が片時も目を離さず監視してましたから、餡の味付けはうまくいってるはずです。ゲテモノじゃないと思いますよ……たぶん」

あんまり自信はないけれど。

「欲しければくれてやる。ただし、私が作った餃子を食べ残すことは断じて許さない」

「もちろん、食べ残しません。どんなひどい味でも、必ずや平らげてみせます」

央順は胸を張って意気込みを述べた。主君に追い打ちをかけている自覚はなさそうだ。

「君は無理をしなくていいからな、栄妃。食べられないほどまずかったら言ってくれ」

真面目《まじめ》に気遣ってくれるのが嬉しい。

「ああ、そうだ。昼間、秋恩宮《しゅうおんきゅう》を訪ねたんだが、祖母上が君を褒めていらっしゃったぞ」

「え？　文句をおっしゃったんじゃなくて、褒めてくださったんですか？」

三日に一度、鈴霞は秋恩宮の厨房《ちゅうぼう》に立っている。唐仲来《とうちゅうらい》の食譜《レシピ》を忠実に再現しようとしているのだが、班《はん》太后には褒められるどころか、苦言しかもらっていない。

「豆腐皮《ゆば》の吸い物がかなり気に入ったようだ」

「本当ですか？　私がそれをお出ししたとき、ものすごくお怒りだったんですけど」

ふやかして柔らかくした豆腐皮のすまし汁に紫海苔《むらさきのり》を加えた吸い物は、本来、素食の一種だったが、唐仲来がより洗練された味付けにして宮廷料理に仕上げた。

食譜通りに海老《えび》を入れて作っただけでは物足りない感じがして、鈴霞はさっと茹でた夏菊の花びらを浮かべてみた。豆腐皮の白、紫海苔の黒、海老の赤、夏菊の黄で整えた色彩豊かな湯《スープ》を緑釉《りょくゆう》の器《うつわ》によそって、五行説《ごぎょうせつ》の色をすべて取りそろえたのだ。なかなかの自信作だったのだが、班太后には「余計な手は加えなくてよろしい」と叱られてしまった。

「豆腐皮の吸い物の掛け軸が茶寮に飾ってあったから、相当うまかったんだろうな」

鈴霞は茶寮《さりょう》には入らないから知らなかった。

「公主様と殿下が素直じゃないのは、皇太后様に似ているからなんですね」

「……かもしれないな」

くすりと笑って、鈴霞は圭鷹の横顔を盗み見た。鼻の頭に小麦粉がついている。

「殿下、こっち向いてください」

「何だ？」

団子状にした餃子を大皿に置いて、圭鷹がこちらを向く。

鈴霞は背伸びをして、手巾で小麦粉を拭《ぬぐ》ってあげた。

何気なく視線を上げると、間近で目が合った。ひっそりとたたずむ池の水面《みなも》に似た、静謐《せいひつ》な瞳。何もかも見透かしてしまうような怜悧《れいり》な眼差《まなざ》しなのに、どこか温かい感じがする。

「……は、早く作って食べましょう」

「……そうだな」

慌てて目をそらすと、圭鷹も餃子に視線を戻した。

（……宵麗《しょうれい》お嬢様がお戻りになるまでに、殿下に料理を仕込んでおかなきゃ）

何者かにさらわれたという栄宵麗。彼女が無事に戻ってくれれば、鈴霞の役目はおしまい。圭鷹にはそれまでに料理を覚えてもらわなくてはならない。彼が奈落芋《ならくいも》以外のものをおいしく食べられるように。鈴霞が圭鷹にしてあげられるのは、それくらいだ。


央順が果敢《かかん》にもゲテモノ食いに挑戦してから、数日後。

明杏を訪ねる途中で、鈴霞は輿《こし》に揺られる彼女と出くわした。

「今から英静《えいせい》兄様の殿舎《でんしゃ》へ行くのよ」

明杏は隣にちょこんと座っている白い鵞鳥《がちょう》を見やった。

いつぞや、鈴霞が全力で追いかけ回した水雅《すいが》とかいう鵞鳥である。

「水雅が妾《わらわ》の宮に迷いこんでいたから、送り届けに行くの」

「そのおいしそうな食材……水雅は英静皇子の愛玩物《ペット》なんですか？」

「そうよ。可愛《かわい》いでしょ」

明杏は水雅の背中を撫《な》でた。水雅は鈴霞を見て「グエーッ！　ギエーッ！」と騒ぎ立てたが、明杏に撫でられると、たちまちおとなしくなる。

（英静皇子って、主上のご寵愛《ちょうあい》が深かった方柔妃《ほうじゅうひ》様の息子だったわよね）

古《いにしえ》の名君たちにならい、今上帝《きんじょうてい》はあまたの妃嬪《ひひん》たちに等しく寵愛を分け与えている。

しかし、一人だけ例外がいた。それが方柔妃だ。

方柔妃はもともと先帝の妃嬪である。先帝の後宮では方寧妃《ほうねいひ》と呼ばれていた。彼女は寵愛されて身籠《みごも》ったが、毒を盛られて子を喪《うしな》う。それから半年と経たないうちに先帝が崩御《ほうぎょ》。慣例に従い、方寧妃は髪を切って女道士《おんなどうし》になり、道観《どうかん》で先帝の魂を慰める日々を送る。あるとき、今上帝が道観を参詣《さんけい》した。亡き父帝に経《きょう》をあげるために訪ねたその場所で、皇帝は美しい女道士を見初《みそ》めた。彼女こそ、かつての方寧妃だ。

皇帝は足しげく道観に通いつめ、後宮の美人たちを忘れて彼女に溺《おぼ》れた。むろん、重臣たちは皇帝の恋に猛反対した。父親の妾《めかけ》を枕席《ちんせき》に侍《はべ》らせることは、己が母親と枕を交わすことに等しい。名主《めいしゅ》の行いにあらず、と。

重臣たちの諫言《かんげん》は皇帝の耳に届かない。皇帝は彼女を後宮に迎え、寧妃より一つ上の柔妃に据えた。ほどなくして、方柔妃は皇子を産む。この皇子が英静である。

花開いて風雨多し。喜びも束の間、出産の翌日には方柔妃が息絶えてしまった。最愛の寵妃が命と引きかえに遺《のこ》した皇子は、生まれつき病弱だった。一日に何度も薬を飲まなければならず、具合が悪いときは床から起き上がれない。誰が見ても玉座から一番遠い皇子だったが、皇帝には一番目をかけられているとまあさんに聞いた。

（……殿下が一番じゃないのね）

皇太子だから、皇帝に最も大事にされているのは圭鷹だろうと思っていた。

違うと言われて、自分のことみたいにちくりと胸が痛んだ。彼は父親に一番愛されているわけではないのだ。愛されるに足る人物であるはずなのに。

「私もおともさせていただいてよろしいですか」

鈴霞はまあさんと女官に持たせている朱漆塗《しゅうるし》りの食盒《じゅうばこ》を指し示した。

「ちょうど睡蓮《すいれん》の酥餅《パイ》を持って公主様をお訪ねしようと思っていたのですわ。英静皇子が酥餅をお好きだといいのですが」

会ってみたい気がした。圭鷹よりも父帝に愛されている皇子に。

「どれくらい持ってきたの？」

「五十個ほどですわ」

「じゃあ、ついてきなさい。英静お兄様を紹介してあげてもよくてよ」


第四皇子・英静の住まいである慈晶殿《じしょうでん》は後宮内にある。

皇子たちは十五歳で成人すれば封土《ほうど》を賜《たまわ》って王府《おうふ》を構えるものだから、十八歳になった英静が後宮内に住まいを構えているのは、異例中の異例だ。

「慈晶殿は方柔妃が住んでいたところなんですって」

明杏が輿から降りると、水雅もひょいと降りた。勝手知ったる足取りで、瑠璃瓦《るりがわら》がふかれた朱塗りの正門をひょこひょこくぐっていく。

「公主様は方柔妃とお会いしたことは……？」

「あるわけないでしょ。妾が生まれる前のことよ」

明杏は翡翠《ひすい》で染め上げたような裙《くん》の裾《すそ》をさばいて歩き出した。

「姿絵が残ってないから方柔妃の美貌《びぼう》は分からないけど、綺麗《きれい》な人だったんでしょうね」

「珍しいですね。姿絵が残っていないなんて」

皇帝の子を産んだ妃嬪《ひひん》は姿絵を遺してもらえる。

「描かれたことは描かれたらしいわ。でも、お父様が燃やしてしまわれたの」

「寵愛なさっていたのに？」

「方柔妃は先帝の妃嬪だったたでしょ。後宮に入る前から、父と息子をたぶらかした悪女だとそしられていたの。入宮後も中傷が絶えなくて、方柔妃は病気がちだった。だから、お父様は姿絵を燃やしたのよ。後世の人々が絵の中の方柔妃に汚らわしい言葉を浴びせないように」

呉皇后に聞いた話だと明杏は語る。

「お母様もお辛《つら》かったと思うわ。夫が自分以外の女人に真摯《しんし》な愛情を向けるのを見せつけられて、悲しまずにいられる？　だけど、お母様は方柔妃を悪くおっしゃらないの。とても穏やかで淑《しと》やかな方だったたって、姉のように慕《した》っていたっておっしゃるわ」

明るく陽気な呉皇后でさえ、人知れず悲嘆に暮れたことがあるのだ。

（……ここは後宮なんだわ）

三千の美姫《びき》が集《つど》う花園。いずれは圭鷹もその主になる。圭鷹にとっての方柔妃はどんな人なのだろう。遠からずここを去る鈴霞には関係ないことなのに、気になってしまう。

いくつかの洞門《どうもん》をくぐると、竹林が現れた。青々とした葉をつけてしなう無数の竹が天高く伸びている。水雅はちらちらと振り返りつつ、竹林を進んでいく。

「水雅は緋雪《ひせつ》姉様が英静兄様に贈ったものなのよ」

高緋雪は皇帝の異母兄・恵兆王《けいちょうおう》の娘だ。英静の従姉《いとこ》にあたる。

「緋雪王女と英静皇子は仲がよかったんですね」

「年も一つしか違わなかったしね。緋雪姉様の竹笛と英静兄様の琴《こと》の合奏は素晴らしかったわ。うっとり聴き惚《ほ》れたものよ。……残念だわ。もう二度と聴けないなんて」

去年、お産のときに医者が誤った薬を処方したせいで亡くなったのだという。

「緋雪姉様、ご結婚なさったばかりだったのよ。相手は高官の令息でね、人柄がよくて、美男子で、緋雪姉様のことをとても大事になさっていたわ。あんなに幸せそうだったのに……」

首筋を撫でた薫風《くんぷう》が切なげな琴の音色を運んできた。

「英静兄様が琴を奏でていらっしゃるわ。たぶん、あそこの四阿《あずまや》よ」

明杏が歩調を速めたので、鈴霞は彼女についていった。

一面に広がる緑に、紅が混ざり始めた。竹林に隠された四阿の屋根だ。五本の柱に支えられた二重円形造りの屋根には、艶《つや》やかな紅梅色の瓦《かわら》がふかれている。

水雅がグェーグェー鳴きながら四阿に飛びこむと、琴の音色がぴたりと止まった。

「おかえり、水雅」

白皙《はくせき》の青年が水雅に微笑《ほほえ》みかけた。女と見紛《みまが》う儚《はかな》げな美貌の持ち主だ。絹糸のような黒髪を緩く束ねて右肩に垂らし、菊と鶴が織《お》り出された灰黄緑《はいきみどり》の長衣《ちょうい》を着ている。

彼が、仁啓帝《じんけいてい》が最も愛した方柔妃の忘れ形見——第四皇子・英静か。

「やあ、明杏。今日は涼しいね」

「ここはね。竹林から一歩出れば、体がどろどろ溶けそうな暑さよ」

明杏は水雅を抱き上げて、英静の膝の上にのせた。

「また明杏の宮にお邪魔していたのかい？」

琴の音のような声で言い、ほっそりした手で水雅を撫でる。

「水雅にも困ったものだな。毎回……おや、今日はお客人がもう一人いるようだね」

英静が鈴霞に気づいて目礼した。

「栄妃よ。話は聞いてるでしょ。圭鷹兄様の正妃。たいして美人じゃないし、気も利《き》かないし、家柄以外に美点はないけど、なぜかお兄様には気に入られてるみたい」

「ああ、圭鷹兄上の。会ってみたいと思っていたよ」

明杏のぞんざいな紹介を聞き、英静はふわりと微笑した。

「は、初めてお目にかかります。栄宵麗と申します」

鈴霞は慌てて皇族に対する礼を取り、偽りの名を述べた。

「堅苦しいのは苦手なんだ。楽にしてくれれば助かるよ」

英静は空咳《からせき》をしながら向かいの椅子《いす》を示す。一脚しかないので、座ろうかどうか迷う。

「皇宮には慣れたかい？」

「はい。殿下がよくしてくださいますので」

「お兄様ったら、栄妃と厨房でお料理なさっているのよ」

鈴霞が立ったままでいると、明杏がさっさと椅子に座った。

「奈落芋以外のものを食べてくれるようになったのはいいけど、味のほうは相変わらずひどいみたい。央順がゲテモノ餃子《ギョウザ》を食べさせられたって話してたわ」

「へえ、どんな餃子なんだい。僕も食べてみたいな」

「だめよ。英静兄様が食べたら死んじゃうわ。胃袋がひっくり返るような味なんですって」

そこまでひどくはなかったと思うが。

「ちょっと、栄妃。ぼーっとしてないで、早く酥餅《パイ》を出して」

明杏が急《せ》かすと、まあさんが食盒《じゅうばこ》を机に置いた。鈴霞は一段目のふたを開ける。

「私が作ったものです。お口に合えばよろしいのですが」

「睡蓮の酥餅か。懐かしいな」

英静は鈴霞が持ってきた手洗い用の水で手を洗い、酥餅を一つ取った。

ふんわりと花開いた薄紅色の酥餅。餡は橙《だいだい》ではなく、桃風味だ。

「緋雪が好きだったな。食事は残すのに、花の酥餅ならたくさん食べていた」

「お菓子が好きだったものね。そうだわ。あとで緋雪姉様の霊廟《れいびょう》に届けさせましょう」

明杏は女官に毒見させてから、酥餅をかじった。幸せそうににんまりした直後、「まあまあってとこね」というようにすまし顔を作る。

英静は四阿の隅に控えていた四人の宦官《かんがん》に毒見をさせた。

（……主上より一人少ないだけなのね）

毒見役の数は皇帝が一番多く、五人だ。もっともこれは食卓で毒見をする人数のことだ。食卓に出される前に、すべての料理は御膳房《ごぜんぼう》の毒見役が毒見をすることになっている。

呉皇后の毒見役ですら三人なのに、英静には四人もいる。

それほど皇帝が鍾愛《しょうあい》しているということだろう。

（殿下には央順様しかいないのに）

圭鷹が軽んじられているようで、心なしか、恨めしく思ってしまった。もちろん、病弱な英静が特別扱いされるのは当然のことだと、理解はできるけれど。

「おいしいよ、栄妃。君は料理が上手なんだね」

毒見が済んだ酥餅を食べて、英静は顔をほころばせた。

わけもなく憐情《れんじょう》を覚えるような、弱々しい微笑み。

入宮して日が浅い鈴霞でさえ感じるものがあるのだ。圭鷹はとうに自覚しているだろう。

自分が父帝の最愛ではないことを。


後宮の果樹園。早朝の太陽が緑の葉に残った朝露をきらめかせている。

(天仙飯庄《てんせんはんしょう》の鈴霞と過ごす時間を減らすべきだ)

李《すもも》を収穫している鈴霞を見つめて、圭鷹は自分に言い聞かせた。

今日もいつものように夜明け前から武芸の鍛錬に勤《いそ》しみ、太廟《たいびょう》で拝礼を済ませてから朝餉《あさげ》をとり、古い史書をひもといて書き物をしていた。

書き物が一段落したときだ。桃紅色《とうこうしょく》の裙《くん》を揺らしながら鈴霞が現れた。

『お菓子を作りたいので、李を採りにいきませんか?』

なぜ二つ返事をしてしまったのか、我ながら理解に苦しむ。

たまたま朝議《ちょうぎ》がない日だったからか。一昔前の女官のように髪を双螺髻《そうらけい》に結った鈴霞が可愛《かわい》かったからか。もしくは、ちょうど彼女に会いたいと思っていたからだろうか。

大きな籠《かご》を持たされ、李の収穫を手伝わされる羽目になってしまった。

なお悪いことに、木と木の間を行ったり来たりする鈴霞にぼんやりと見惚《みと》れている。

(……ただの小娘じゃないか)

後宮で育てば、美人は見慣れる。艶《つや》っぽい花、清らかな花、愛らしい花……後宮には、さまざまな魅力を持つ花が咲いている。いちいち目をとめていたらきりがない。

鈴霞は美しい女には違いないが、一目惚れするほどではないだろう。それなのにどうしてこうも視線が惹《ひ》きつけられてしまうのか……考えても答えは出ない。

「殿下、見てください。いっぱい採れました」

鈴霞は前掛けにどっさりのせた李を、圭鷹が持つ籠にざーっと入れた。

「重くないですか？　私が持ちましょうか」

「いや、いい。君には持たせられない」

荒っぽい言い方をしてしまった。女の君には重いものを持たせられないと言いたかったのに。

「自覚はないみたいですけど、殿下って本当にお優しいですね」

鈴霞がくすくす笑う。猫の耳のように結われた髪で歩揺《ほよう》がしゃらしゃらと鳴った。

「勘違いしないでほしい。後宮の果樹園の李は大変貴重なものだから、君に持たせて籠を落とされては困ると言ったんだ」

眉間《みけん》に力を入れていないと、彼女の可憐《かれん》な笑いにつられて微笑んでしまいそうだ。

「いいえ、殿下はお優しいです」

「優しくないと言っている」

「だったら、私に意地悪してみてください。そうしたら信じてあげます」

……意地悪？　圭鷹は沈思《ちんし》した。一つの答えを得て、李の木に近寄る。

「どうだ？　君には採れないだろう」

高い枝に実っていた李をちぎる。小柄な鈴霞には絶対に届かない位置だ。

「それくらい、採れますよ！」

むっとしたふうに言い、鈴霞は腕を伸ばした。頭二つ分高い枝にはかすりもしない。今度は膝を曲げて、力いっぱいぴょんと飛ぶ。指先が葉をかすめるだけだった。

「何笑ってるんですか。今のはほんの準備体操です。次こそは採りますからね」

鈴霞は圭鷹をちくりと睨《にら》み、木から離れた。助走をつけて飛ぶつもりらしい。

駆けてくる勢いのまま飛び上がったが、やはり届かない。二回目、三回目と助走をつける距離が長くなっていくけれども、結果は同じだ。

「ああもう！　こうなったら、木に登ってちぎってきます！」

待ちなさい、と圭鷹は笑いまじりに止めて、籠を足元に置いた。

ふり返った鈴霞を腰から抱き上げて、高い枝に手が届くようにしてやる。

「これで届くだろう？」

東雲色《しののめいろ》の披帛《ひはく》が朝の風を捕え、天女の羽衣のようにたなびいた。

「……子ども扱いしないでください」

鈴霞は恥ずかしそうに唇を尖らせていた。小さな白い手で、李をちぎる。

「意地悪しろと言ったのは君だぞ」

地面におろしてやると、鈴霞は恨みがましく見上げてきた。

「殿下ってずるいですよね。背が高いから、高いところの李も採れるし」

それはずるいことなのか……？

「ではこうしよう。私が高いところの李を採るから、君は低いところの李を採りなさい」

「いいですね！　じゃあ、もっともっとちぎりましょう！」

晴れやかに笑う彼女がやけにまぶしく見えた。


李が山盛りになった籠を宦官たちに渡して先に東宮《とうぐう》へ帰らせた。

鈴霞が散歩したいというので、馬場の近くを並んで歩く。夏の太陽が本領を発揮するにはいささか早い時刻だ。馬場を取り囲む木々はすがすがしい風に吹かれていた。

「英静に会ったそうだな」

「はい。男の人にこんなことを言うのは変かもしれないですけど、綺麗《きれい》な方ですね」

鈴霞は昨夜の雨でできた水たまりを軽やかに飛びこえた。

「慈晶殿で何をした？」

「私が持っていった酥餅《パイ》を食べて、英静皇子が琴を弾いてくださって、公主様の歌声も聞かせていただきましたよ。素敵な演奏と美しい歌声に癒《い》やされてきました」

「妙なことはされなかったんだな」

妙なことって何ですか、と鈴霞が小首をかしげる。百合《ゆり》の髪飾りが木漏れ日《こもれび》を弾いた。

「英静とは、かかわらないほうがいい。あいつは……気難しくて付き合いづらいんだ」

「気難しい？　のんびりした方でしたよ」

「君は緋雪の件を知らないから……」

何もかも話してしまいそうになったが、踏みとどまる。生涯連れ添うことになる栄宵麗ならいざ知らず、偽物の花嫁に身内の事情を打ち明ける義理はない。

ふいに馬蹄《ばてい》の音が聞こえてきた。

広々とした馬場を二頭の馬が駆けている。乗り手の一人は男、一人は女だ。

「あれって、登原王《とうげんおう》じゃないですか？」

黒馬に跨《また が》っているのは猟月《りょうげつ》だ。頭頂でくくった黒髪が広い背中で躍っている。

その隣で白馬を走らせる女は波打つ赤毛を風になびかせていた。女が着ているのは、瑠璃唐草《るりからくさ》が刺された胡服《こふく》だ。房飾りがついた異民族風の帽子をかぶっている。

「古鹿昭容《ころくしょうよう》だな。会ったことは？」

「お見かけしたことはあります。すごいわ。あんなに早く駆けて。乗馬がお上手なんですね」

鈴霞は羨望《せんぼう》の眼差しで馬上の麗人《れいじん》を眺めた。確かに、古鹿昭容は男顔負けの騎手だ。まるで体の一部であるかのように馬を乗りこなす。さすがは騎馬民族の古鹿族出身というべきか。

「君も乗馬をしたいなら、許可を出しておこうか」

「えっ……い、いえ、私は結構です。馬は苦手ですから」

「意外だな。君なら易々と乗りこなしそうなものだが」

「子どもの頃、厩舎《きゆうしや》で立派な馬を見たので『おいしそう』と思って近づいたら……蹴《け》られて大怪我《おおけが》をして、死にかけました。それ以来、馬は怖くて」

鈴霞が食材を見る目で近づいてきたので、馬は命の危険を感じたのだろう。

「あっ、その……今の話は栄家《えいけ》では秘密なんです。貴族の令嬢が馬に蹴られて死にかけたなんて恥ずかしいでしょ。本当は殿下にもお話しするべきじゃなかったんですけど……」

「どこを蹴られたんだ？」

必死に言い繕《つくろ》おうとする鈴霞の顔をのぞきこむ。

「背中です。後ろを向いたとたん、蹴飛ばされて。傷が少し残ってますけど、そんなに目立たないみたいです。自分で見るのは難しいので、はっきりとは……」

「今も痛むか」

彼女がゆるりと首を横に振るので、圭鷹は細い背中にそっと手をそえた。

「傷痕が気になるなら、太医《たいい》に相談しなさい。効果的な手立てがあるかもしれない」

鈴霞は何か言いかけて、気まずそうに睫毛《まつげ》を伏せた。

「……あんまり私に優しくしないでください。冷たくしてくださっていいんですよ。私、馬に蹴られても生きてるくらい丈夫ですから、意地悪されたって平気です」

身分を偽っていることが後ろめたいのか、言葉に元気がない。

いっそ打ち明けてしまおうか。全部知っているから、無理をして嘘をつく必要はないと。秘密を共有した上で、本物の花嫁が戻ってくるのを待つことだって――。

「夫婦で朝の散策か？　仲睦《なかむつ》まじいことだな」

近くまで駆けてきた猟月が馬上から笑いかけた。ひらりと下馬して、同じく馬を止めた古鹿昭容に手を差し伸べる。古鹿昭容は猟月の手を無視して、自分で馬からおりた。

「皇太子殿下、妃殿下」

古鹿昭容が流れるような所作《しょさ》で圭鷹と鈴霞に拱手《きょうしゅ》した。燃えるような赤毛と、碧玉《へきぎょく》のような目を持つ肉感的な美女だ。年は二十一と聞いている。

彼女は三年前、凱《がい》帝国の支配を受ける古鹿族の王が献上してきた舞姫である。

「登原王って、古鹿昭容と親しくていらっしゃるんですね。朝早くから馬で競争なさるなんて。お二人ともかっこよかったですよ。風を切って……」

鈴霞は表情を強張《こわば》らせた。圭鷹の腕を引っ張って耳打ちする。

「……今気づいたんですけど、お二人が一緒にいるのってまずいんじゃないですか。ふ、不貞《ふてい》とか、み、密通とか、そういう疑いをかけられるんじゃ……」

「普通ならそうだが。父上は兄上が古鹿昭容と付き合うのを許していらっしゃるんだ」

ある宴《うたげ》で、猟月は祖国の舞を披露した古鹿昭容に一目惚《ひとめぼ》れした。それからだ、猟月が浮名を流さなくなったのは。他の美人には見向きもせず、古鹿昭容だけを一途に想っていた。

圭鷹は兄のひたむきな恋に危うさを覚えて、幾度となく諫《いさ》めた。

古鹿昭容は父帝のもの。どんなに想いが強くても道ならぬ恋だ。それがどれほど罪深いものであるか、父帝は身をもってご存じなのだから、決してお許しにはならないだろう。

『罪深い恋をご存じだからこそ、俺の気持ちを分かってくださるはずだ』

猟月は圭鷹の制止を振り切って、父帝に古鹿昭容への恋情を包み隠さず告白した。

挙句《あげく》、彼女を下賜《かし》してほしいとまで訴えたのだ。

『古鹿昭容をいただけるなら、皇子の身分も、登原王の位も、返上いたします』

愚かしいまでの熱意が父帝の心を動かしたのか、猟月は古鹿昭容の下賜を約束された。

ただし、古鹿昭容本人の承諾《しょうだく》を得なければならないという条件付きで。

『そんなに愛《いと》しい女なら、まずは口説《くど》き落としてこい』

父帝の許しを得てからというもの、猟月は三日おきに古鹿昭容のもとに通い、熱烈に口説いている。装身具や衣装以外にも、折に触れて贈り物を届け、市井《しせい》で仕入れてきたよもやま話で笑わせようとし、古鹿族の女人が得意な乗馬や騎射に誘う。

兄の努力が実っているとは言いがたい。古鹿昭容は猟月を嫌っているようなのだ。

（祖国に好きな男でもいたのだろうか）

古鹿昭容は母国で何度か結婚している。古鹿では他部族の女人を強奪する略奪婚が主流だから、凱でいう結婚とは意味が違うが、数人の夫の中に好きな男がいたのかもしれない。

父帝が古鹿昭容を訪ねたのは一度きりだ。故郷が懐かしいだろうと、古鹿族の料理を届けたのだが、古鹿昭容は父帝の前で隠し持っていた短刀の鞘《さや》を払った。同行していた圭鷹はにわかに殺気立ったが、短刀の切っ先は父帝ではなく、彼女自身の喉笛《のどぶえ》に向けられた。

『私はもう二度と殿方《とのがた》に身を任せません。夜伽《よとぎ》をご所望《しょもう》なら、亡骸《なきがら》を差し上げます』

それまで無表情で押し黙っていた古鹿昭容が父帝を強く睨《にら》みつけた。

激しい恨みを抱いた眼差しは、彼女が味わってきた辛酸《しんさん》をそのまま映しているようだった。

父帝は彼女の無礼を咎《とが》めず、「骸《むくろ》を抱く趣味はない」と笑って済ませた。

第一皇子・高《こう》猟月は齢《よわい》二十三の美丈夫《びじょうふ》。気取らず、豪放磊落《ごうほうらいらく》な人柄で知られ、臣下たちの信頼は厚く、任国である登原国では民に慕われている。そんな男が言い寄ってきているのに、父帝はそれを認めているのに、古鹿昭容は断固として猟月の求婚を拒《こば》む。

「さて、芙羅《ふら》。競《くら》べ馬は俺の勝ちだ。約束を果たしてもらおうか」

猟月は古鹿昭容に向き直った。芙羅というのは彼女の名前だ。

「賭けをしていたんですか？」

「競べ馬で俺が三度勝ったら、俺との結婚に承知する条件を教えるって約束なんだ」

結婚する約束ではなく、結婚に承知する条件を教える約束というところが、「俺はいい男だから、女に無理強《じ》いする必要はない」と豪語する兄らしい。

「志緋亜《しひあ》というお菓子を用意してください」

芙羅はつんと顔をそむける。柘榴石《ざくろいし》の耳飾りがきらりと光った。

「幼い頃、よく食べていたお菓子ですわ。古鹿では、婚礼の前夜に花嫁が子ども時代に好きだったお菓子を食べる風習があります。それがなければ、あなたに嫁《とつ》ぐことはできません」

「どんな菓子なんだ？」

「私を娶《めと》りたいとおっしゃるなら、それくらいはご自分でお調べになってはいかがですか」

高慢に突き放すような言い方をされても、猟月は腹を立てない。

「よし、分かった。その志緋亜とやらを贈ったら、俺の花嫁になると言ってくれよ」

猟月は鷹揚《おうよう》に笑う。楽天家の兄の恋を応援していいものかどうか、悩みどころだ。


酷暑《こくしょ》だ。湖の水面《みなも》は炎天《えんてん》に焦がされ、金箔《きんぱく》を散らしたようにきらめいている。

「古鹿昭容って、登原王のことがお嫌いなんでしょうか」

鈴霞は氷水でよく冷やされた西瓜《すいか》をぱくりと食べた。

湖に浮かぶ四阿《あずまや》で涼をとっているところだ。五本の円柱のそばに氷で作られた鳳凰《ほうおう》と麒麟《きりん》の置物があるためか、外の熱気は入ってこない。四方にめぐらされた珠簾《すだれ》が弱々しい風と戯《たわむ》れるたびに、水のせせらぎのような清らかな音楽を奏でていた。

「好きじゃないから結婚に同意しないいんだろう」

向かいの席に座っている圭鷹も西瓜《すいか》をかじった。たまの休日ということで、皇太子の位を示す龍紋《りゅうもん》ではなく、風雅《ふうが》な山水紋《さんすいもん》が入った月白色《げっぱくいろ》の長衣《ちょうい》を着て、襟元《えりもと》をくつろげている。

「でも、一緒に乗馬なさっていましたよ。心底嫌いだったら、そんなことしないと思います」

古鹿昭容が猟月に対して一貫して冷淡だったのは事実だ。しかし、猟月のことが我慢ならないほど嫌いだったなら、彼と会うことすら避けるのではないだろうか。

「古鹿昭容も兄上と同じ気持ちでいると？」

「そうかもしれません。結婚に応じる条件だっておっしゃったんだし」

「故郷の菓子を持ってこい、か。あれほど頑《かたく》なに拒んでいたわりには簡単な条件だな」

圭鷹は思案するように玻璃《はり》の杯を傾けた。

「ところで、志緋亜《しひあ》とはどういう菓子なんだ？」

「私も古鹿の料理にそこまで詳しいわけじゃないですけど、たぶん、煎餅《クレープ》に似たお菓子ですよ。古鹿語で『亜《あ》』は煎餅を意味しますから」

小麦粉や豆粉を湯あるいは水で溶いて、鏊子《ひらなべ》で薄く焼いた煎餅はおかずを挟んで食べれば食事になるし、果物の砂糖漬けなどを挟めば午点《おやつ》になる。安価な材料でおいしく飢えを満たせるので庶民《しょみん》にとってはなじみ深い料理だ。宮廷では卵や酪《ヨーグルト》、酥《バター》が入れられているので、もっちりとした生地になり、挟むものもより豪華になる。

「古鹿語って、呂守国《ろしゅこく》の田舎《いなか》の方言とすごく似てるんですよね」

「当然だ。呂守国の北部はもともと古鹿の土地だからな。古鹿語と凱語《がいご》が混ざっている」

「呂守国の方言で『昨日だいぶ飲みすぎた』って言うと、古鹿人には『貴様の親父《おやじ》をぶん殴《なぐ》ってやる』って聞こえるんですって。面白いですよね」

呂守国北部の言葉で〈笑う〉といえば古鹿語では〈走る〉、〈食べる〉といえば〈見る〉、〈薄い〉といえば〈黒〉、〈炒《いた》める〉は〈揺れる〉、〈柔らかい〉は〈赤〉、〈老いる〉は〈ふざける〉、〈たくさん〉は〈炙《あぶ》り肉〉、〈辛《から》い〉は〈いつも〉……。

重複している発音は多いものの、両者の意味がまるきり違うことも少なくないため、誤解を招きやすい。呂守国の方言で古鹿人と会話するのは非常に厄介《やっかい》だ。

「煎餅というのは、難しいか？」

「いいえ。易しい料理ですよ。今晩にでも試してみます？」

「ああ、試してみよう。央順にはまたゲテモノだと何だのと言われそうだが」

圭鷹が苦笑いするので、鈴霞はころころと笑った。

「私は楽しみですよ。殿下が今度はどんなもの作るんだろうって、いつもわくわくしてます」

「君くらいのものだな、私の料理にわくわくするのは」

圭鷹が笑うと、鈴霞は嬉しくなる。西瓜も甘くなるようだ。

二切れ目の西瓜に手を伸ばしたとき、慌《あわただ》しい足音が四阿に近づいてきた。

んでくる。見慣れない青年があとに続いた。


「栄妃！」

猟月が珠簾を掻《か》き分けて顔を見せた。菖蒲《しょうぶ》色の長衣《ちょうい》の裾《すそ》を荒々しくさばいて、大股《おおまた》で駆けこんでくる。見慣れない青年があとに続いた。

「頼みたいことがあるんだ」

猟月は圭鷹には目もくれず、鈴霞に駆け寄った。折り畳《たた》んだ紙を差し出す。

「これを作ってくれ。材料はそろえてある。すでに青膳房に運んだ。できるだけ急いでほしいんだが、今から時間を取れるか？」

「挨拶《あいさつ》もなしにいきなり何なんだ、兄上」

圭鷹はたちまち不機嫌になった。さっきまで上機嫌だったのに。

「挨拶どころじゃない。俺の結婚がこれにかかっているんだ」

やけに切羽詰《せっぱつま》ったふうの猟月は鈴霞に持たせた紙を指さした。

「これって、志緋亜《しひあ》の食譜《レシピ》ですわね」

鈴霞は紙を広げてみた。大らかな手跡で、志緋亜の作り方が記されている。

「街で古鹿人《ころくじん》を片っ端から捕まえて聞いて回ったんだ。男はだめだな。志緋亜のことは知っても作り方を知らない。古鹿の女商人に聞いてやっと分かった」

「姿を見ないと思ったら、そんなことをやっていたのか」

「そんなこととは何だよ。俺が愛《いと》しい女と結婚できるかどうかの正念場なんだぞ」

「愛しい女ねえ」

猟月に続いて四阿に入ってきた青年が、円柱に寄りかかって鼻を鳴らした。青葉のような翠緑《すいりょく》の長衣。金糸で織《お》り表された鯉魚紋《りぎょもん》が美しい。蒼玉《そうぎょく》の佩玉《はいぎょく》は瑞雲《ずいうん》と龍を彫りこんだもので、結い髪の冠には赤瑪瑙《あかめのう》が象嵌《ぞうがん》されている。

贅沢《ぜいたく》な身なりにも負けないほど眉目秀麗《びもくしゅうれい》な青年だ。どことなく皇帝の面差《おもざ》しに似ているが、端整な美貌《びぼう》には小ばかにしたような笑みを浮かべていた。

「古鹿昭容って、もう何度も結婚してる女だろ。よくそんな使い古しの女を娶る気になるよな」

氷希《ひょうき》、と猟月は低くうなるように言った。

「芙羅を侮辱《ぶじょく》するな。兄弟でも、許せないことはある」

「熱くなるなよ、猟月兄上。たかが女のことじゃないか。でもまあ、古鹿昭容は抱き心地の良さそうな女だよな。蛮人《ばんじん》の男どもをどうやって楽しませてきたか、試してみるのも一興だ」

「それ以上、一言でもしゃべってみろ。二度と無駄口を聞けないようにしてやる」

猟月は氷希に詰め寄って、胸倉をつかんだ。二人が刺すような眼差しで睨《にら》み合うので、鈴霞ははらはらした。とめに入ったほうがいいだろうか。

「やめておけ、兄上。氷希の無作法《ぶさほう》は生まれつきだ。相手にするな」

頰杖《ほおづえ》をついた圭鷹が面倒くさそうに指先で机を叩く。

「まったくだ。悪態をつくために生まれてきたようなやつだからな」

猟月は氷希の胸倉を突き放した。

「……氷希様って、第三皇子の氷希殿下ですか？」

会うのは初めてだが、名前は聞いている。年は英静と同じ十八。母は史温妃《しおんひ》。英静の母である方柔妃より一つ上の位だ。鈴霞の故郷がある呂守国の王に封じられているが、働きぶりよりも刃傷沙汰《にんじょうさた》や色恋沙汰などで知られているという。

「紹介がまだだったな。栄妃、あちらが氷希皇子、呂守王《ろしゅおう》だ。氷希、こちらは栄妃だ」

圭鷹の紹介を受けて、鈴霞は席を立った。膝を折って淑《しと》やかに首を垂れる。

「呂守王殿下、初めてお目にかかります」

しばらく待っていたが、氷希からは挨拶が返ってこない。

「へえ、あんたが皇太子殿下のお気に入りか」

氷希は無遠慮《ぶえんりょ》に鈴霞を眺め回した。

「噂は聞いてるぞ。圭鷹兄上は片時もあんたを離さないんだって？　婚礼前に孕《はら》ませないよう、父上が釘を刺したっていうじゃないか。たいそうなご寵愛ぶりだな。でも、圭鷹兄上、ちょっと趣味が悪いんじゃないか？　美人は美人でも、胸がお粗末すぎるだろ」

鈴霞はぽかんとして、胸元を見下ろした。言われてみれば、自慢できるものではない。

「言葉を慎《つつし》んだほうが身のためだぞ、氷希」

圭鷹は静かに席を立った。

「私の怒りを買って得するかどうか、考えたらどうだ。不始末の尻拭《しりぬぐ》いをしてやる者がいなくなって困るのは、君自身だろう」

「ああ、そうだ。思い出したぞ。氷希が酔って宮女に乱暴しようとしたとき、表沙汰にならないよう手を尽くしたのは、俺と圭鷹だったよな」

「その程度のことで恩着せがましいな」

「あのとき、君は別件で父上に謹慎《きんしん》を命じられていた。身を慎まなければならないときに不調法《ぶちようほう》を起こせば、重罰は免れなかったはずだ」

圭鷹は冷徹に弟を睨んだ。氷希も負けじと睨み返す。

ぴりぴりした空気を和《やわ》らげようと、鈴霞はあえて高めの声を出した。

「ご兄弟でお話をなさるなら、私はお邪魔でしょうから下がらせていただきますわ」

いそいそと出ていこうとするが、圭鷹に腕をつかまれて引きとめられる。

「出ていかなければならないのは君じゃない」

圭鷹が冷然と言い放つと、氷希は居心地悪そうに目をそらした。

「久しぶりに帰京したから顔を見せにきてやったっていうのに、兄上たちは弟より女のほうが大事なんだな。女にも劣る扱いをされるなら、来なければよかったよ」

苛立《いらだ》たしげに長衣の裾《すそ》を翻《ひるがえ》して四阿を出ていく。

「すまなかったな、栄妃。氷希は口が悪いんだ。あいつが言ったことは忘れてくれ」

「気にしていません。胸が立派じゃないのは本当のことですし。でも、そのことが殿下の評判にかかわるなら、明日からは上襦《じょうじゅ》の中に何かつめて、水増ししておきますね」

丸めた絹を入れておけば、見栄えのする大きさにできるだろうか。欲張ってたくさん入れると不格好になりそうだし、身動きしても位置がずれないようにしておかないと……。

「殿下？」

圭鷹が手を握ってきたので、鈴霞は首を傾けた。彼は何か言おうとしていたが、言葉が出ないのか、視線を伏せる。風に身を任せる珠簾《すだれ》の音色が短い沈黙を埋めていった。

「何もしなくていい。君はそのままでいてくれ」

鈴霞は彼の手が好きだった。この手は優しくて、真面目《まじめ》で、可愛《かわい》い真ん丸の餃子を作る。

「なぜ笑う？」

「殿下が作った餃子を思い出したんです。あれ、好きだわ。また作ってくださいますか」

「あんなものでよければ、いくらでも」

二人で笑い合っていると、猟月が割って入った。

「仲いいのは分かったから、俺の存在を忘れないでくれよ」

「何だ、兄上。まだいたのか」

「栄妃に用があるんだよ。志緋亜《しひあ》を作ってほしいんだ」

「御膳房《ごぜんぼう》の料理人にでもやらせればいいだろう」

「栄妃がいい。芙羅には最高の志緋亜を贈りたいから、腕前が確かでないと任せられない」

猟月は鈴霞の前に立ち、拱手《きょうしゅ》する。

「頼む。協力してくれ」

鈴霞はちらりと圭鷹を見上げて、うなずいた。

「お二人の恋の橋渡しをさせていただけるなんて、光栄ですわ」


青膳房には大量の古鹿李《ころくすもも》が届けられていた。

古鹿李は古鹿の土地で採れる独特の品種で、凱の李と違って武骨でごつごつしている。味は李というより、花紅《りんご》に近い。老舗飯店《しにせレストラン》でも使われるが、数が少ないので高級品だ。

鈴霞は志緋亜《しひあ》の食譜《レシピ》を読みこんで、調理台に立った。

「まず古鹿李の砂糖煮を作ります」

古鹿李を皮ごと切って鍋《なべ》に入れ、砂糖でことこと煮る。過熱すると、古鹿李は上品な桃色になる。煮詰まったところで、桂皮《シナモン》をちょっぴり加えて香りづけした。

「うまいな。ご婦人方が好みそうな味だ」

作業を見ていた猟月が真っ先に味見した。続いて圭鷹も一口食べる。

「君みたいな匂《にお》いがするな」

「えっ……私みたい？　変な臭《にお》いってことですか？」

鈴霞は慌てて古鹿李の味をみた。甘酸《あまず》っぱく、ほのかに桂皮のいい匂いがする。

「変な臭いなんてしませんけど」

「おい、栄妃が勘違いしてるぞ。説明してやれよ」

猟月が笑いまじりに圭鷹を小突いたが、圭鷹はそっぽを向いた。

不思議に思いつつ、鈴霞は煎餅《クレープ》の生地作りに取りかかった。

小麦粉とそば粉、卵と酪《ヨーグルト》を混ぜ合わせ、適温になった鏊子《ひらなべ》で薄く焼く。大きさは子どもの掌《てのひら》ほどと書いてあるから、凱の庶民《しょみん》が食べる煎餅よりだいぶ小さい。

片面を焼いている間、まだ火が通っていない面に細かく砕いた胡桃《くるみ》をぱらぱらとふりかける。同様の生地を四枚焼き、胡桃がついた面を上にして皿に盛って、粗熱《あらねつ》が取れた古鹿李の砂糖煮を満遍《まんべん》なく広げる。それを二回繰り返し、刻んだ生の古鹿李を天辺にちょこんとのせたら出来上がり。食譜通りの分量で作ると、二十個できた。

「んー、おいしい」

志緋亜は箸《はし》ではなく、手で食べるのが古鹿の作法《さほう》と食譜に書いてあったので、手でつまんでパクリと食べた。桂皮香る古鹿李の砂糖煮と香ばしいそば粉の生地がよく合う。

「これなら芙羅も喜んでくれそうだ」

猟月はぺろりと三つ平らげた。食盒《じゅうばこ》に志緋亜を盛った皿を入れる。

「よし、じゃあ求婚してくる。結婚祝いを何にするか考えておいてくれよ」

からりとした笑顔を残して厨房《ちゅうぼう》から出ていった。

「登原王って素敵な方ですね。明るくて、気風《きっぷ》がよくって、まるで一陣の風みたいに爽《さわ》やか」

鈴霞は茶杯《ゆのみ》に白茶《はくちゃ》を注いで、圭鷹に渡した。

「古鹿昭容だって、登原王のこと嫌っているわけじゃないと思うんですけどね」

「……君は兄上のことが好きか」

「好きですよ。気持ちのいいお人柄ですから。登原国の民に慕われているのも分かるわ。庶民はああいう気取らない方が好きですし。朗《ほが》らかで、闊達《かったつ》で、堅苦しくなくて……」

茶杯を傾けた圭鷹が黙ってしまったので、鈴霞は慌てた。

「しょ、庶民の気持ちなんて分かりませんけど、たぶんそうじゃないかなって」

「……ここは暑いな。四阿《あずまや》に戻ろう」

圭鷹は央順を呼んで志緋亜と茶を運ぶように命じた。


四阿に戻って一息ついたとき、猟月が再びやってきた。

「古鹿昭容は喜んでくださいましたか？」

さぞかし上機嫌だろうと思って笑顔を向けると、猟月は力なく首を横に振った。

「芙羅が……これじゃないって言うんだ」

「お口に合わなかったのでしょうか」

食べてくれなかったんだ、と猟月はがっくりと肩を落として椅子《いす》に腰かけた。

「子どもの頃、食べた志緋亜《しひあ》とは全然違うってさ」

「おかしいわね。この食譜《レシピ》は一般的なものじゃないのかしら」

鈴霞は志緋亜の食譜を広げてみた。まるっきり別の食譜があるのだろうか。

「女商人に作り方を聞いた後、古鹿人の女を何人か捕まえてこれで合ってるかどうか聞いて回った。皆、知ってる食譜だって話していたし、一般的なものであるはずなんだが」

「だったら、古鹿昭容が幼い頃に食べていた志緋亜のほうが特殊なんだろう」

機嫌が悪いのか、圭鷹はしかめ面《つら》で志緋亜を食べている。

「どういうものなのか、調べようにも手立てがない。芙羅の故郷の村は他部族に襲撃されて滅びている。芙羅だけが生き残りなんだ」

本人ではなく、皇宮に出入りする古鹿人たちに聞いた話だという。

芙羅は村を滅ぼした部族の族長に連れ去られ、妻の一人に加えられた。惨劇《さんげき》は芙羅と村の若者の婚礼前夜に起こったというから、彼女の辛《つら》い心中は察するに余りある。

「本人に何が違うか聞いてみたのか」

「尋ねても教えてくれない。ただ、少しでいいから手がかりをくれと言ったら、『登原王が三日おきに召し上がっていらっしゃる辛《から》く炒《いた》めた柔らかいもの』に似ていると言っていた」

「そんなに頻繁《ひんぱん》に召し上がっているものがあるのですか？」

「さあ、何のことだか。三日おきに食べる料理なんかないしなあ。そもそも俺は出されたものは何でも食うってのが信条だから、登原王府で出る料理を適当に食ってるだけだ」

「以前おっしゃっていた辣椒《とうがらし》は？　王府で召し上がっていらっしゃらないのですか？」

「王府の料理人に辣椒たっぷりの串焼き麵《そば》を作ってくれーって頼んだことはあるんだよ。でも、あいつ『私の料理よりそんな田舎《いなか》料理のほうがいいとは恥辱《ちじょく》の極《きわ》み。料理人として生きていられない』とか言って、自害するって大騒ぎしやがった。それ以来、登原王府で辣椒は禁句だ」

貴人に仕える料理人は洗練された味を得意とするから、庶民の料理は毛嫌いするものだ。

「ここ最近の登原王府の献立《こんだて》を確認すれば、何か分かるかもしれませんわ」

「そうだな。今夜にでも持ってくる。一緒に見てくれるか」

鈴霞がうなずくと、圭鷹は茶杯を置いて溜息をついた。

「君が首を突っこむような問題じゃないだろう」

「いいえ、首を突っこみますよ。食べてから文句を言われるならともかく、食べもせずに突き返されるなんて、作り手として屈辱ですから」

鈴霞が意気盛んに言うと、圭鷹はこちらに手を伸ばしてきた。心なしか目元が緩んでいる。

「君の行動を制限したくないが、今日は空けておいてくれ」

唇についていた古鹿李の砂糖漬けを親指で拭《ぬぐ》い取り、その指を軽く舐《な》めた。

「今夜の君は私のものだ」

目をぱちぱちさせ、鈴霞は耳まで真っ赤になった。唇に触れただけなのに、口づけされたみたいに動揺《どうよう》する。恥ずかしくて、白い花橘《はなたちばな》がほころぶ絹団扇《きぬうちわ》で顔を隠した。

「ふられ男の前で堂々といちゃつくなよ。ただでさえ傷だらけの心がぼろぼろになるだろ」

猟月はふてくされた様子で、芙羅が食べてくれなかった志緋亜《しひあ》をやけ食いしている。

「と、登原王、誤解しないでくださいねっ。今夜は一緒に煎餅《クレープ》を作る約束をしているので、殿下はそのことをおっしゃっているんですよ」

鈴霞は早口で弁解する。一方、圭鷹は何食わぬ顔で志緋亜を味わっていた。


翌日の午後、登原王府の献立表を見てみたが、「猟月が三日おきに食べている辛《から》く炒《いた》めた柔らかいもの」に該当《がいとう》する料理はなかった。

「よし、もう一回、芙羅に聞いてくる……ってだめか。今日は会えない日だ」

「お会いになってもよい日と、よくない日があるんですか？」

「兄上は四日に一回しか古鹿昭容に会わないんだ」

登原王府の献立表を興味なさそうに眺めて、圭鷹が言う。

「主上のご命令ですか？」

「いや、俺がそう決めた。本当は毎日会いにいきたいけどさ、迷惑だろうから」

猟月は「はあああ」と溜息をついて圭鷹の執務机に突っ伏した。

「芙羅に会いたい、会いたい、会いたい、芙羅芙羅芙羅芙羅……」

「うるさいぞ、兄上。政務の邪魔だ」

圭鷹に執務室から追い出された猟月がかわいそうに思えて、鈴霞は彼の代わりに後宮に出向いて芙羅に話を聞くことにした。

古鹿昭容の殿舎《でんしゃ》は、むろん恒春宮《こうしゅんきゅう》には劣るものの、瑠璃瓦《るりがわら》をふいた立派な門構えだった。内院《なかにわ》の鋪地《ほち》の模様が草原を駆ける駿馬《しゅんめ》なのは、彼女の祖国にちなんでいるのだろう。いたるところに植えられた柘榴《ざくろ》が見ごろを迎えていた。真夏の厳しい日差しを受けながら赤々と輝く麗《うるわ》しい花は、異国の後宮に囚われた赤毛の美姫を思い起こさせる。

「このたびは妃殿下のご来駕《らいが》を賜《たまわ》り、恐悦至極《きょうえつしごく》に存じます」

母屋の外で、芙羅は使用人たちとともに跪《ひざまず》いていた。

皇后以外は妾《めかけ》にすぎないため、妃嬪の位は皇太子の正妃より下になる。使用人ともども跪いて出迎えるのは皇宮の規則にかなっているが、偽物の妃にとっては荷が重い儀礼だ。

「そんなに畏《かしこ》まらないでください」

鈴霞は芙羅の手を取って立ち上がらせた。

「私は入宮して日が浅い身です。どうぞ妹が訪ねてきたとお思いになって、楽になさって」

芙羅のほうが長身なので、向かい合うと鈴霞が見上げる恰好《かっこう》になる。

今日は胡服《こふく》ではなく、凱の衣装で身を包んでいた。薄紫の上襦《じょうじゅ》の長い袖《そで》には梔子《くちなし》の縫《ぬ》い取りがきらめき、風に舞う小花が散った茜色《あかね》の裙《くん》は緩やかに足元まで流れている。

銀刺繍《ぎんししゅう》で縁取られた帯に強調される柳腰《やなぎごし》と、羨《うらや》ましいほど豊かな胸元は完璧《かんぺき》な対比をなしていて、目鼻立ちの整った色白の面差《おもざ》しに得《え》も言われぬ色香を添えていた。

「……妃殿下、私の胸が何か？」

「す、素敵なお召し物ですわね。見惚《みと》れていましたわ」

無意識のうちに胸元をじっと見つめてしまっていた。無作法《ぶさほう》を笑ってごまかすと、芙羅は不審そうに目を細めつつ、鈴霞を客間に案内した。

五扇《ごせん》に分かれた屛風《びょうぶ》は螺鈿《らでん》細工で雉《きじ》と落花《らっか》が表されたもの、紫檀《したん》製の長椅子と机は花鳥が浮き彫りにされたものだ。七宝《しっぽう》の花瓶には瑞々《みずみず》しい柘榴が活けられている。

芙羅に勧められて席に着くと、古鹿人と思われる女官が瑪瑙《めのう》の碗《わん》を机に置いた。雪を溶かしこんで冷やした杏仁茶《アーモンドティ》だ。ひんやりした口当たりと甘い香りを楽しんで一息つく。

「お近づきの印に睡蓮《すいれん》の酥餅《パイ》をお持ちしました。お口に合うかしら」

鈴霞は金彩《きんだみ》で草花が描かれた海棠花形《かいどうかがた》の食盒《じゅうばこ》のふたを開けた。ふんわりと花開いた薄い皮は赤みの強い色。中央で控えめにのぞいているのは杏《あんず》の餡《あん》だ。

「ご用件は何でしょう」

芙羅は睡蓮の酥餅を一瞥《いちべつ》したが、手をつけようとはしない。

「あ、あの……登原王のことなのですが」

「その件でお話しすることはありません。私の気持ちはすでに登原王にお伝えしています」

にべもない返事をして、芙羅は見るともなしに宮灯を見上げた。上半分だけ結われた赤毛には蜻蛉《とんぼ》を模《かたど》った琥珀《こはく》の簪《かんざし》と常盤蓮華《ときわれんげ》の造花が挿されている。白蓮《びゃくれん》の花びらにも似た小ぶりの耳朶《じ》だでは、小さな赤い耳飾りがゆらゆらと揺れていた。

「どなたか……御心に秘めた御方がいらっしゃるのですか」

まともに会話するのは今日が初めてなのだから、こんなことを訊くべきではないと分かっているけれど、世を儚《はかな》んだような横顔を見ていると尋ねずにはいられなかった。

「いいえ。私はどなたもお慕《した》いしておりません」

芙羅はきっぱりと答え、緑の瞳を伏せた。

「はっきり申し上げて、私は殿方《とのがた》が嫌いです。汚《けが》らわしいと思ってしまいますの。体に触れられることはもちろん、殿方の視線を受けることすら不快ですわ」

なぜですか、と言いそうになり、口をつぐんだ。

（……古鹿昭容は何度か結婚しているのよね）

古鹿においては、男が他部族の女人を攫《さら》って妻にしたり、他部族の男を殺してその妻を奪ったりすることが昔から行われている。

芙羅も攫われて無理やり妻にされたり、夫を殺されたりしたのだろうか。

「このような心構えで登原王に嫁《とつ》いでも、ご迷惑をおかけするだけでしょう」

「お気持ちはお察しします。けれど、登原王はお人柄のよい御方ですし……」

「だからこそ、私のような強情な女は早くお忘れになるべきです」

壁を隔《へだ》てて交わすような会話だった。芙羅は強い意志を持って猟月を拒絶している。

「先日は登原王と競べ馬をなさっていましたわね」

杏仁茶《アーモンドティイ》で喉《のど》を潤して、話題を変えた。

「いつもあのようにして、お二人で馬を走らせるんですか？」

「……ときおりです。登原王のお誘いを毎回お断りするわけにはまいりませんから」

鈴霞の視線から逃げるように、芙羅は花瓶に活けられた柘榴の花に目を向ける。

「生き生きと駆けていらっしゃいましたわ」

「幼い頃から馬と親しんでいますので、馬を走らせれば胸が躍りますの」

「馬だけでなく、登原王とも親しんでいらっしゃるのではありませんか？」

女官たちが団扇《うちわ》でこちらをあおいでいる。微風が赤い髪をかすかにざわめかせた。

「後宮では、許可を取ればお一人でも乗馬はできます。登原王のことが心底お嫌いなら、お誘いをお断りなさるはずです」

芙羅は瑪瑙《めのう》の碗に手を伸ばした。紅に染まった涙のような耳飾りがせわしなく揺れる。

「登原王の求婚はお受けできません。どうかそのようにお伝えください」

すげない返答を最後に会話が途絶える。何の収穫もないまま、帰ることになった。

「今更ですけれど、凱語がとてもお上手ですね」

日差しの下に出たとき、鈴霞は芙羅を振り返ってにっこりした。

「皇宮で使われる発音は異国人の方には特に難しいと聞いていますわ。たいていの方は祖国なまりが出てしまうそうですが、古鹿昭容の発音は完璧ですわね」

「……私には、帰るところがありませんから」

芙羅は空を見上げることが許されないかのように、下を向いていた。

「故郷の言葉は、忘れました」


「――栄妃」

殿舎の門前をうろついていた猟月が出てきた鈴霞に駆け寄ってきた。

鈴霞が首を横に振ると、彼は気落ちした様子を隠せずに「そうか」と微笑《ほほえ》んだ。

「お役に立てず、申し訳ありません」

「あなたが謝ることなんてない。芙羅の心をつかめない俺が甲斐性《かいしょう》なしなんだ」

猟月は宦官《かんがん》たちが閉める門扉《もんぴ》を見やった。ぴったりと閉ざされた朱塗りの門扉は、芙羅の頑《かたく》なな心を象徴しているかのようだった。

「古鹿昭容のこと、諦めてしまわれるのですか」

答えを聞くのにしばし時間がかかる。

「芙羅が死ぬほど俺を嫌っているなら、いつまでも追いかけ回すわけにはいかないな」

地面を焦がす強い日差しが精悍《せいかん》な横顔に濃い影をつけていた。

（死ぬほど嫌っているわけじゃないわ）

芙羅は男が嫌いだと言ったが、猟月のことが嫌いだとは言わなかった。

猟月と並んで馬を走らせることも、避けようとすれば避けられるのに、彼女は彼の誘いにときどき応じている。猟月の求婚を断り続けている芙羅が「乗馬の誘いを毎回断るのは忍びない」という理由で応じるとは到底考えられない。何がしかの好意は持っているはずだ。

「登原王」

鈴霞は立ち去ろうとした猟月を呼び止めた。

猟月の身分なら、苦労して芙羅を口説《くど》く必要はない。彼女が欲しいなら、腕ずくで手に入れればいいだけの話。そうしないのは、彼が芙羅を心から愛《いと》おしんでいるからだろう。

「もう一度、試してみます」

「ありがたいが……これ以上、あなたを煩《わずら》わせるわけには」

「古鹿昭容がおっしゃっていた『登原王が三日おきに召し上がっていらっしゃる辛《から》く炒《いた》めた柔らかいもの』に似た材料で志緋亜《しひあ》を作りますわ」

「分かったのか？」

猟月が目を見開く。自信はなかったが、鈴霞は浅くうなずいた。

「お尋ねしたいのですが、登原王は古鹿昭容とお会いするとき、古鹿昭容のどこを——例えばお顔や、首筋などのことです——ご覧になっていますか」

「瞳だ。碧玉《へきぎょく》みたいな綺麗《きれい》な目に視線が吸い寄せられる。……とはいえ、芙羅は目を伏せたり、そらしたりすることが多いから、あまり見せてはくれないんだがな」

「古鹿昭容が身につけていらっしゃるものなどは、ご覧にならないのですか？」

「服のことか？　たいして覚えてないな。芙羅が身にまとえばどんな衣装でも美しくなる」

芙羅の姿を思い描いたのか、猟月は愛《いと》おしそうに目を細めた。

「初めて芙羅を見たときのことは忘れられない。宴の席で芙羅は胡服《こふく》を着て舞ったんだ。古鹿の舞曲に合わせて彼女が飛びはねると、深紅の髪が背中で躍り、帯から垂らした鈴がしゃんしゃんと鳴って、木蓮《もくれん》の花びらみたいな白い耳で、小さな赤い耳飾りが揺れていた」

彼が熱っぽく語るから、鈴霞の脳裏にもその光景が映し出された。

「美人なら大勢見てきた。人並みに色恋も経験してきたつもりだ。それでも芙羅が目に焼きついて離れなくなってしまった。父上の妃嬪《ひひん》だと知っていても、自分を止められなかった」

「古鹿昭容を下賜《かし》していただけるよう、登原王は主上に申し出たのですよね」

猟月は苦笑いして視線を落とした。

「俺は単純な男だから、秘密を抱えて生きるってことができないんだよ。厳罰を受ける覚悟で、父上に何もかも打ち明けた。勝算なんかなかったが、素知らぬ顔で父上の妃嬪に恋い焦がれるのは重大な裏切りのような気がして、告白せずにはいられなかったんだ」

「その心意気に打たれて、主上は古鹿昭容を下賜するとおっしゃったのでしょう」

あるいは、最愛の人と添い遂げられなかった後悔の念が息子の無謀《むぼう》な恋を哀れんだのか。

「皇恩《こうおん》を賜《たまわ》ったのに……こんな結果になるとは残念だよ」

「まだ諦めるのは早いですわ」

芙羅が心の底から猟月を拒《こば》んでいるなら、なぜ彼女は志緋亜《しひあ》の手がかりを彼に示したのか。

そもそもどうして志緋亜を持ってきてほしいなんて言ったのか。冷たい態度をとりながら、彼の気持ちに応えたい自分を抑えきれていないのではないか。

「登原王、いくつか調べていただきたいことがあるのですが」

何らかのわだかまりが彼女の心を縛っているなら、その戒《いまし》めを解けばいいのだ。


数日後、鈴霞は再び芙羅を訪ねた。

「今日は古鹿昭容の故郷のお菓子をお持ちいたしました」

客間の机で、鈴霞は金彩《きんだみ》の蓮華紋《れんげもん》が輝く食盒《じゆうばこ》を広げた。

「志緋亜ですわ。どうぞ召し上がって」

「結構です。それは私の故郷のものとは……」

芙羅は鈴霞が小皿に盛った志緋亜を見るなり、言葉を打ち切った。柘榴《ざくろ》の砂糖煮を挟んだ志緋亜。天辺には刻んだ古鹿李ではなく、柘榴《ざくろ》の粒を一つまみ分のせている。

「登原王が三日おきに召し上がっていらっしゃる辛く炒めた柔らかいもの」

鈴霞は心地よく冷えた杏仁茶《アーモンドティ》を一口飲んだ。

「今日もつけていらっしゃる耳飾りのことでしょう?」

芙羅がはっとして耳に手をあてた。柘榴の粒を連ねたような耳飾り。猟月が彼女に一目惚《ひとめぼ》れしたときも身につけていたもの。馬場にいたときも、先日も、そして今日も。水晶や翡翠《ひすい》の耳飾りを持っていないはずはないのに同じものを使うのは、今は無き故郷を想うがゆえか。

鈴霞は猟月に二つの問いを投げかけた。

一つ、芙羅の殿舎の内院《なかにわ》で咲く柘榴は彼女の意向で植えられたものか。

二つ、柘榴は古鹿とゆかりのある花なのか。

ここの内院には柘榴が多すぎる。他の花木が目立たないほどだ。後宮では内院にさまざまな花木を植えて季節ごとの花を楽しむのが普通である。一日の大半を殿舎で過ごす妃嬪たちは、四季折々の花を愛《め》でて、思うままにならない暮らしを慰めるのだ。

だが、この殿舎にはほとんど柘榴しか植えられていない。以前は他の殿舎と同じようにいろんな花木が植えられていたが、芙羅の希望で柘榴に植えかえられたという。

秋冬には花を楽しめないのに、柘榴で内院を埋め尽くすのには意味があるのか。

『もともと柘榴は凱にはなかった花だ。百年ほど前に古鹿王が皇帝に献上して普及したとか』

猟月がそう答えたので、確信した。芙羅は故郷を偲《しの》ぶために柘榴で内院を埋め尽くし、柘榴石の耳飾りをいつも身につけているのだと。

「古鹿語には、呂守国の田舎《いなか》の方言と発音が似ている単語が多くあります」

呂守国北部の言葉で〈食べる〉といえば古鹿語では〈見る〉の意味になり、〈辛い〉は〈いつも〉、〈炒める〉は〈揺れる〉、〈柔らかい〉は〈赤〉となる。

「呂守国の方言でいう『登原王が三日おきに召し上がっていらっしゃる辛く炒めた柔らかいもの』は、古鹿語では『登原王が三日おきに見ていらっしゃるいつも揺れている赤いもの』という意味になります。呂守国北部の発音でしたらすぐに分かりましたが、あなたは皇宮で使われる凱語の発音でおっしゃったので、最初はそのままの意味で考えようとして混乱しました」

猟月は三日おきに芙羅を訪ねている。彼は彼女の瞳を見ると言っていたから、耳飾りのことは印象に残っていなかったのかもしれない。

「せっかく作ってきたのです。一つ、味見なさってください」

鈴霞は柘榴の志緋亜《しひあ》を彼女に勧めた。

ためらいながら、芙羅はおそるおそる手を伸ばす。毒見もさせずに口に運んだ。一口かじると、そば色の煎餅《クレープ》で挟まれた艶《つや》やかな砂糖煮がとろりとあふれ出す。

「いかがです？　故郷で慣れ親しんだ味に似ていますか」

芙羅は無言で志緋亜を平らげた。ついで、わっと泣き出す。どうしたのかと訊くと、袖《そで》で面《おもて》を隠して席を立ち、逃げ出すようにして客間を出ていった。

「古鹿昭容！　お待ちください！」

鈴霞は急いで追いかけた。芙羅は内院の小道を駆けていく。

右も左も、柘榴、柘榴、柘榴、柘榴。緑の枝で日差しを浴びる朱赤の花が視界を満たしている。

柘榴を水面《みなも》に映した池のほとりで、芙羅がその場にくずおれた。

「どうなさったのですか？　具合が悪いなら、太医《たいい》を」

「登原王の求婚はお受けできません」

鈴霞が歩み寄ると、芙羅は涙声で先日の台詞《せりふ》を繰り返した。

「どうか私のことは捨て置いてくださいませ」

「なぜ、そこまで登原王を拒絶なさるのです？　理由を教えていただけませんか」

短い間があった。どこかで郭公《かっこう》が鳴いている。

「……栄妃様もご存じでしょうが、私は五人の夫に仕えてきたのです」

黒い蝶が翅《はね》をひらめかせる水色の袖を握りしめ、芙羅はうなだれた。

「最初の夫は、生まれ育った村を滅ぼした他部族の長《おさ》でした」

十五になったばかりの芙羅。翌朝には幼馴染《おさななじみ》との婚礼を控えていた。

「花嫁衣装の仕上げをしていたら村が襲撃されて……家族は全員殺されました」

袖を握りしめる両手がカタカタ震えている。

「許嫁《いいなずけ》と二人で逃げられるだけ逃げました。でも、途中で追いつかれて……連れ戻されたのです。許嫁は私を新しい族長に献上すれば命は助けてやると取引を持ちかけられました。私は彼と一緒に死ぬ覚悟でした。彼が取引に応じるはずはないと思っていたから。侵略者のものになるくらいなら……彼が殺されるときに、舌を噛《か》み切って死んでやろうと……」

許嫁は芙羅を明け渡した。いささかも躊躇《ちゅうちょ》せずに。

しかし結局、彼は殺されたそうだ。侵略者が約束を守るはずもなく。

「……私は侵略者の妾《めかけ》になりました。その男には多くの妻妾《さいしょう》がいましたから、彼女たちと付き合うのも大変でしたわ。子を産んでいない妾は早朝から夜遅くまで働いて、上位の妻妾に仕えなくてはならなかったのです。粗相《そそう》があれば厳しい罰を受けましたが、何とか慣れようとしました。故郷を失ったのも、許嫁に捨てられたのも、宿世と諦めて……」

ところが今度は、新たな住処《すみか》となった集落が別の部族の襲撃を受ける。

古鹿は氏族同士の争いが絶えず、侵略と略奪が日常的に行われているという。

「一人目の夫は殺され、私は新しい族長の持ちものに……。二人目の夫は一人目の夫よりも凶暴な男でした。機嫌が悪いと妻妾たちを殴《なぐ》って憂《う》さ晴らしするから、生きた心地がしませんでしたわ。あの男が敵対していた氏族の長に殺されたと聞いたときは、安堵《あんど》したものです」

三人目の夫も荒くれ者で、いつ逆鱗《げきりん》に触れるかと怯《おび》える日々だった。

狩りがうまくいかなかった。兄弟と仲違《なかたが》いをした。仲間内から裏切り者が出た。単に気が立っている――理由はさまざまでも、怒りの発散法はさして変わらない。

「……内衣《したぎ》一枚にされて天幕の外に放り出されたことがあります。その日は体調を崩して休んでいたので、旦那様《だんなさま》の出迎えに行くのが遅れてしまい……。跪《ひざまず》いて謝りましたが、旦那様はお許しにならず、私の衣服を剝《は》ぎ取って、一晩外で反省するようにとおっしゃいました」

古鹿の地は、真夏であっても夜になると凍えるほど寒くなる。体力のある男たちでさえ、野営には命の危険が伴《ともな》うというのに、高熱に侵された芙羅は容赦《ようしゃ》なく叩き出された。

「岩陰で風をしのぎながら、朝までには死ぬのだろうとぼんやり思いましたわ。意識が朦朧《もうろう》として、何も考えられなくなっていました。死ぬことも、恐ろしくはなくて。だって生きていても安らぎなどないのですもの。これ以上ひどい目に遭《あ》うくらいなら、いっそ、このまま……」

ぬるい風が吹く。朱赤の花が囁《ささや》くように揺れた。

「瞼《まぶた》を閉じて、次に目を開けたらどこかの立派な天幕の中でした。私は温かい寝床に寝かされていて、周りには下女たちがいて、貴人の奥方のように扱われていたのです」

芙羅を拾ったのは、歴史ある氏族の年若い族長だった。

「お優しい方でしたわ。何事も無理強《じ》いはなさらなかったし、殴られたこともありません」

四人目の夫は芙羅が好きな柘榴の花や、柘榴の刺繡《ししゆう》が美しい衣を彼女に贈った。細やかに気遣われ、慈《いつく》しまれて、恐怖と嫌悪で凍りついていた芙羅の心はしだいに解《ほぐ》れていった。

「よく二人で遠駆けに出かけました。風を切って走るあの方の横顔に見惚《みと》れて、危うく落馬しそうになったこともあったかしら……」

「その方のこと、慕っていらっしゃったんですね」

「……初めてでしたの。殿方《とのがた》のそばにいて、胸がときめいたのは」

恋の思い出を語っているのに、芙羅は体を折り曲げて嗚咽《おえつ》する。

「心から慕わしい方でした。あの方の子を産んで、育《はぐく》んで、穏やかに暮らしていくことを望みました。ただ、おそばにいられれば、それだけで……幸せだったのに」

周辺を脅《おびや》かす新興氏族の長が遠駆けに出ていた芙羅に目をつけた。

「その男は非道な行いで知られていました。集落を襲うときは子どもから先に殺し、自分の母親を獣に襲わせ、息子の許嫁を奪うために我が子を八つ裂きにした……」

残忍な族長は、芙羅を渡さなければ一族を皆殺しにすると四人目の夫を脅した。

「私は自害を決意しました。あの方と添い遂げられないなら、死んだほうがましだと」

四人目の夫は、自ら命を絶とうとした彼女を必死で止めた。

『おまえに死なれては困るんだ！』

そこまで自分のことを大切に想ってくれているのだと涙を流した芙羅は。

「翌日、私は五人目の夫に譲《ゆず》り渡されたのです。肉親すら殺す男に……捧げものとして」

四人目の夫は彼女に晴れ着を着せて送り出した。

「あの方は私に死なれると一族が皆殺しにされるから、『困る』とおっしゃっていたのです。

なのに、私は……私を惜しんでくださっているのだと勘違いして……」

素直に従ったことを評価されて、四人目の夫には大金が贈られたという。

噂《うわさ》に違《たが》わぬおぞましい男のもとで、芙羅は命が縮むような暮らしを強《し》いられた。それも長続きはしない。五人目の夫は古鹿王の機嫌を取るために芙羅を進上した。古鹿王は芙羅の美貌《びぼう》が凱の皇帝を惑わすに違いないと見込んで、凱への献上品の中に彼女を入れた。

「子どもの頃、栄妃様がお作りになったような柘榴《ざくろ》の志緋亜《しひあ》を、好んで食べていました。祖母が作ってくれていたのです。私も作り方を学んでいましたが、祖母のほうが上手でしたわ」

途切れ途切れの涙声が木漏《こも》れ日《び》に溶けていく。

「なぜ求婚に応じる条件として志緋亜を挙げたのですか？」

「……村の生き残りは私だけ。故郷の志緋亜が古鹿李ではなく、柘榴を使ったものだと知る者もいない。不可能な条件を告げたつもりでした。求婚をお断りするために」

「けれど、登原王には手がかりをお教えになった」

本当は応じたかったのではないか。猟月がまっすぐに向けてくる恋情に。

「登原王には、お優しい方ですわ。私に恋しいという気持ちを教えてくださった、あの方のように……。だからこそ、怖いのです。恋して、身をゆだねて、幸せな未来を思い描いて……また捨てられたら？　好きでもない殿方に捨てられるのはかまいませんわ。心が痛みませんから。でも、愛した方に捨てられるのは、耐えられません。もう二度と、いや……」

芙羅は両手で顔を覆《おお》い、肩を震わせた。

「一度、登原王とお話をなさってはいかがですか。あなたのお気持ちを伝えてみては」

「胸の内を告白すれば、登原王は温かい言葉をかけてくださるでしょう。捨てたりしないと、おっしゃってくださるかも……。でも、何を言われても、信じられないのです」

初めは許嫁に、次は恋した男に、裏切られた。

いまだ癒《い》えることのない痛みが彼女を怯えさせているのだ。

「登原王がどんなに素晴らしい方でも、信じることができません。こんな気持ちで、嫁げるはずがありませんわ。登原王だって、自分を信じない妻など欲しくないでしょう」

「――勝手に決めつけないでくれ」

後ろから猟月の声が飛んでくる。鈴霞が振り返ると、猟月は日に焼けた顔で微笑した。

「すまないが、芙羅と話をさせてくれないか」

「……お話しすることなんてありません」

慌てて立ち上がり、芙羅は来た道を引き返そうとした。猟月が彼女の腕をつかんで止める。

「俺にはあるんだ。聞いてほしい」

彼が目配せするので、鈴霞は静かに二人から離れた。

話があると言って引きとめたにもかかわらず、猟月はなかなか口を開かない。

芙羅は泣き顔を隠したくて下を向いていた。

（……あのときは、饒舌《じょうぜつ》だったくせに）

猟月に初めて想いを打ち明けられた日のことは、忘れようにも忘れられない。

あれは小雪の舞う昼下がりだった。内院《なかにわ》の柘榴の木は落葉して枝ばかりになってしまい、眺めると憂鬱《ゆううつ》になるので、芙羅は後宮の園林《ていえん》を散歩することにした。

生垣を赤く彩っていたのは、椿《つばき》という花だった。昨夜の雪で真っ白になった枝に、ところどころ深紅の花が咲いている。芙羅は傘をさして、故国にはないその花を見ていた。

『古鹿昭容！』

男の声にびくっとして頭を上げると、精悍《せいかん》な面差《おもざ》しの青年がこちらに近づいてきた。

芙羅は混乱した。謁見《えっけん》は済ませていたから、彼が皇帝ではないことは即座に分かった。では、誰だというのか。ここは後宮だ。皇帝以外の男は入れないはず。

『待て、逃げないでくれ』

芙羅が逃げようとすると、青年は四、五歩の距離を開けて立ち止まった。

『俺は高猟月《りゅうちょう》、第一皇子だ。父上からは登原国を賜《たまわ》っている』

青年は流暢な古鹿語《ころくご》で話した。

『あなたとは宴《うたげ》の席で会ったことがあるんだが、覚えているか？』

覚えていない。宴席では男たちの視線が怖くてずっと下を向いていた。

『そうか。じゃあ、覚えてくれ。これが俺の顔だ』

猟月は自分の顔を指さして、にっと笑う。

『これからあなたを口説《くど》きにくる。毎日……と言いたいが、さすがに迷惑だろうから三日おきくらいにしておくよ。父上には許可を取ってあるんだ。あなたが承知してくれれば、すぐにでも結婚する手はずが調えられる。何も心配せずに、俺に口説かれてくれ』

猟月が一歩前に踏み出した。彼の歩幅は広い。あっという間に距離を詰められそうになり、芙羅は後ずさった。猟月は立ち止まり、申し訳なさそうに眉尻《まゆじり》を下げる。

『ああ、すまない。いきなり口説くだの何だのと言われたら警戒するよな』

きょろきょろした後、庭石の上に小さなものを置いた。

『花を渡したかったんだ。あなたは柘榴が好きだって聞いたから。あんまり上等なものじゃないのは勘弁してくれ。街中探し回って、咲いてたのはこれだけだったんだよ』

雪化粧《ゆきげしょう》された庭石の上に置かれた朱赤の花。萎《しお》れかけの柘榴だ。

『また来る。次からはもっとましな贈り物を用意してくるから、期待しててくれ』

寒さを吹き飛ばすような明るい笑顔を残して、猟月はひらりと外套《がいとう》の裾《すそ》を翻《ひるがえ》した。

『……どうして、このようなことをなさるのです？』

広い背中に疑問を投げかける。これから口説きにくるだの、皇帝の許可は取っているだの、すぐにでも結婚する手はずが調えられるだの、わけが分からない。

（まさか……ご自分で手折《たお》っていらっしゃったの……？）

長い間、雪に降られたらしく、猟月の外套《がいとう》は半ば凍っていた。履《は》いている長靴《ちょうか》は雪まみれで、あちこち歩き回ったのだろうと思われた。

凱帝国の皇子ともあろう者が、寒空の下、なぜ季節外れの花を探して回ったのだろうか。

『一目惚《ひとめぼ》れしたんだ、あなたに』

猟月は振り返った。気恥ずかしそうに頰《ほお》を緩める。

『宴で舞を披露したあなたは、本当に綺麗《きれい》だったな。詩才があれば百篇でも詩を詠《よ》むんだが、あいにく武骨者だから、気の利《き》いたことは言えない。とにかく最高に美しかった』

力強く言い、すっと背筋を伸ばす。

『一つ覚えておいてほしい。俺はあなたを口説くつもりだが、そのことに俺の身分やあなたの立場は関係ない。あなたが俺を好いてくれるかどうか、重要なのはそれだけだ』

陰のない朗々とした声音《こわね》が胸にしみていく。

『あ、そうだ。気が向いたときでいいんだが、名前を教えてくれないか？　古鹿昭容という呼び方には、あなた自身の名が入っていないだろう？　ちなみに俺のことは猟月と呼んでくれてかまわない。〈様〉とかつけなくていいぞ。あなたとは対等でいたいからな』

『……お待ちください』

立ち去ろうとする彼を呼び止めるのは、これで二回目だった。

芙羅は傘の下から猟月を見上げた。春を告げに来た人。不思議とそんな印象だった。

『……芙羅、です』

しんしんと降る粉雪。吐息が白く濁る寒さなのに、胸の奥はほんのりと温かい。

『私の名前は……芙羅です』

覚えたての凱語《がいご》でそう答えたのは、二年半ほど前のこと。

宣言通り、猟月は三日おきに訪ねてきた。

二度目の贈り物は甘い菓子で、三度目の贈り物は籠《かご》いっぱいの果物。四度目の贈り物は可愛《かわい》い栗鼠《りす》の絵。五度目の贈り物は子ども用の本だった。

『凱語は読み書きが大変だろう？　これならとっつきやすいはずだ』

彼は知らないだろう。愛らしい挿絵の入ったその本を芙羅が毎晩読んでいたなんて。

『登原国に行かなければならなくなったから、しばらく会いにこられないんだ』

任国へ赴《おもむ》く前日、猟月は山ほど書きためた手紙を芙羅に渡した。

『三日おきに一通読んでくれ』

我慢できずに三日で全部読んでしまったことは、彼には話していない。

もらった手紙の数だけ返事を書いたのに、一通も出せなかったことも。

『なんで猟月って呼んでくれないんだ？』

猟月は芙羅が彼を「登原王」と呼ぶことが不満らしかった。

『俺の身分のことは気にするなって言ってるじゃないか』

名前を呼べないのは、身分のせいではない。怖いからだ。ひとたび彼の名前を口にしてしまえば、取り返しがつかなくなりそうで。

（……いつの間に、こんなに好きになっていたの）

任国にいるとき以外、猟月は「三日おき」という決まりをきっちりと守った。それはつまり、一度会えば、三日は会えないということだ。彼に会えない三日間がどれほどわびしいものだったか。彼が訪ねてくる四日目にすまし顔を作るのが、どれほど難儀《なんぎ》だったか。

求婚を拒絶しながら、会うことをやめられない。無理強《じ》いはしない猟月のことだから、芙羅がきっぱりと拒否すれば、もう訪ねてこなくなってしまう。彼を信じられないくせに、彼と完全に縁が切れてしまうのがいやで、終着点の見えない曖昧《あいまい》な逢瀬《おうせ》を続けていた。

そろそろ終わりにしなければ。

猟月だっていつまでも芙羅にかまっているわけにはいかない。彼には人並みの幸福を味わってほしい。気立てのよい良家の令嬢を娶《めと》って、安らげる場所を得て……。

「芙羅」

つかまれた腕が熱い。振り払おうと思えばできるはずだ。猟月は力をこめているわけではない。けれど、振り払えない。少しでも長く、彼のぬくもりを感じていたいから。

「あなたを裏切らないと約束はしない」

猟月が重い沈黙を破った。芙羅は落胆《らくたん》した。絶対に裏切らないと、信じてくれと言って欲しかった。この場限りの誓いだとしても、その言葉を聞きたかった。

「約束したところであなたの不安が鎮《しず》まるわけじゃないから、誓いを立てても無駄だ」

猟月は芙羅の腕から手を離した。近場の木に歩み寄って、朱赤の花を一枝手折る。

「誓う代わりに、希《こいねが》うよ」

差し出された柘榴《ざくろ》は、あの日とは違って晴れやかに咲いていた。

「信じてくれなくていいから、あなたを愛させてくれ」

鮮やかな花の色がにじんで見えたのは、暑さのせいだろうか。

おずおずと見上げると、猟月が微笑《ほほえ》んでいた。

「俺はかなり気の長い男なんだ。十年、二十年、三十年は待てる。頑張れば四十年もいけそうだな。ただし、その頃、俺は爺《じい》さんになってるから、今みたいに男前じゃないぞ。それでもいいなら、五十年待ってもいい。よぼよぼの爺さんになった俺がお望みならな」

芙羅は年老いた猟月の姿を思い描いてみた。髪は白くなり、端整な容貌《ようぼう》には皺《しわ》がたくさん刻まれているけれど、溌剌《はつらつ》とした笑顔はちっとも変わらない。

「お年を召されたあなたも……きっと素敵でしょうね」

好々爺《こうこうや》になった猟月に、年齢を重ねた自分が寄り添う光景を想像してみる。

すっかり容色が衰え、異性の視線を集めることもなくなった芙羅。けれど、祖国で男たちの手から手へ投げ渡されていた頃とはまるで違う、幸せそうな微笑みを浮かべている。

長い年月が流れて、若さも美しさも失って、白髪頭の老女になっても、猟月は相変わらず自分のために柘榴の花を手折ってきてくれる。そんな気がした。

「あなたもな」

猟月は笑っていた。芙羅が想像した光景を、彼も見たかのように。

「柘榴色の髪が雪みたいに真っ白になっても、最高に綺麗なままだ」

温かい言葉を記憶に刻みつけたくて、芙羅は瞼《まぶた》をおろした。

故郷を偲《しの》ぶ花だった柘榴が猟月を思い起こさせる花になったのは、あの雪の日からだ。

まだ不安が消えたわけではない。人は移ろいやすく、将来のことは誰も知らない。

けれど、一つだけ確信を持って言えることがある。

芙羅は瞼を上げた。柘榴の花をそっと受け取る。

「……猟月」

ずっと呼びたかった名を口にする。彼がいらないと言うから、〈様〉はつけずに。

「あなたを……お慕いしています」

猟月は目を見開いた。何か言おうとして、視線を泳がせ、急に後ろを向く。

「今の俺の顔は見ないほうがいいぞ。たぶん、二十三年の人生の中で一番情けない顔をしてる。

嬉しすぎて……恰好《かっこう》をつける余裕がないんだ。何というか、だから……」

芙羅は彼の前に回った。猟月が逃げようとするので、彼の腕をつかんで引きとめる。

目が合うと、猟月は酒に酔ったみたいに赤面した。

──なんて愛《いと》おしい男《ひと》だろう。

あふれ出る感情が何かの終わりを告げた。

「情けないなんておっしゃらないでください」

晴れ晴れとした気分で笑う。新たな甘い予感に胸が高鳴っていた。

「私の慕わしい方のお顔なのですから」

雲一つない青空は、芙羅の心のようだった。


東宮には暗雲が垂れこめていた。昼間だというのに、灯がないと暗くて手元が見えない。

政務があらかた片付いたので圭鷹が一息つくと、央順が手紙を差し出した。

「殿下、例の女から書簡が来ています」

圭鷹は手紙を受け取り、燭台《しょくだい》の明かりにさらした。

「いつ見ても男みたいな字だな」

丸みの少ないきびきびとした手跡を見ると、思わず笑みがこぼれた。

六年前、圭鷹に毒を盛った料理人には重病の娘がいた。料理人の死後、圭鷹は彼女に名医の治療を受けさせ、快復してから良家の養女にした。それからも折に触れて金子《きんす》などを送り、彼女が医者を志《こころざ》していると聞いた際は、多くの医生たちが学ぶ太医院《たいいいん》の試験を受けられるよう、口利《くちき》きをしてやった。今では史上四人目の見習い女医だ。

彼女には父親の知り合いとして偽名を名乗っているが、定期的に手紙が来る。武人のように雄々《おお》しい筆跡でつづられた近況を興味深く読み、返信を書くのが習慣になっていた。

『見届けろ。それがおまえの責任だ』

毒酒を飲んだ料理人が血を吐いたとき、父帝は料理人が死に絶える瞬間を見届けろと言ったが、責任はそれだけでは終わらないと、圭鷹は思う。

遺《のこ》された者がいる。大切なものを突然奪われて、立ち尽くす者が。切り捨てるのは簡単だ。父帝だったらそうするだろうし、万民を救済することは不可能だという現実もある。

決してうまいやり方ではないと分かっていても、同情することで自分を慰めているに過ぎないと自嘲《じちょう》しつつも、見捨てられない。

（……私は、やはり皇位には向いていないんだろうか）

「恩情だけでは天下を治められない」と父帝に戒《いまし》められたのに、まだこんなことをしている。

料理人の娘に返信を書いた後は、奇妙な罪悪感に襲われるのが常だ。

「母上のご機嫌伺《うかが》いに行く。支度《したく》をしてくれ」

陰鬱《いんうつ》な気分を払うように、圭鷹は席を立った。

「兄上たちのせいで、栄妃が号泣して大変だった」

圭鷹がぼやくと、猟月は大笑いして弟の背中を叩いた。

「栄妃はほんとに涙もろいな。俺たちのやり取りを聞いて、芙羅よりも泣いてたぞ」

曇天《どんてん》である。今にも泣き出しそうな空の下、二人は並んで後宮の回廊《かいろう》を歩いている。

成人した皇子たちは、原則として後宮に立ち入ることができないが、おのおのの母親を訪ねるときは例外となる。子が母に孝行するのは人の道とされているからだ。

「芙羅の殿舎で思う存分、号泣したのに東宮でも泣いてたのか」

「大泣きだ。なぜか慰める羽目になって料理どころではなかった」

昨夜、いつものように食譜《レシピ》を見ながら調理場に立っていたら、鈴霞が駆けこんできた。

『登原王と古鹿昭容の恋がうまくいきそうなんです！』

鈴霞は二人の心が通じ合うまでをとうとうと語った。二人が幸せになれそうでよかったと熱弁を振るいつつ、泣き腫《は》れた瞳から涙をぽろぽろこぼすので、圭鷹は参ってしまった。

「で、本物の足取りはつかめたのか？」

猟月が声を落とす。兄には天仙飯庄の鈴霞が栄妃の替え玉であることを話している。

「まだだ。都から離れているのだろうな。それらしき女は見当たらない」

婚礼まであと三ヶ月。本物と偽物を滞《とどこお》りなく入れかえなければならないから、鈴霞と一緒にいられる期間はもっと短い。この頃ではそのことを考えると気がふさぐ。

（青膳房で料理をする彼女が見られなくなるんだな）

ほんの二月《ふたつき》前まではそれが当たり前だったのに、今では青膳房に鈴霞がいることが当たり前になっている。馴《な》れ合ってはいけないと自分を戒めつつ、結局は彼女と過ごす時間に馴染んでしまった。

しかし、近いうちに終わりが来るのだ。覚悟しておかねば。

圭鷹は程昭儀《ていしょうぎ》の殿舎に行く兄と別れ、恒春宮《こうしゅんきゅう》へ向かった。

「大都督《だいととく》がお見えになっています」

出迎えた女官がそう言うので、少しばかり身構えた。

軍事の最高機関・大都督府の長官、大都督を務めているのは、母の実兄である。

圭鷹にとっては母方の伯父《おじ》にあたるが、強権的でふてぶてしく、すでに皇帝の伯父になったつもりで尊大にふるまい、悪評も少なくない大都督にみじんも好感を持てなかった。

かつては、どうして父帝がこんな不徳者を重用するのか理解できずに義憤を燃やしたこともあったが、これもまた玉座が善良な人間には向かない一因なのだろう。

品性は下劣でも、伯父は周辺の異民族を武力で威圧することにかけては天賦《てんぷ》の才を発揮する。広大になりすぎた領土を統治するには、欠くことのできない人材なのだ。

母と大都督は内院の四阿《あずまや》にいるというので、そちらに足を向けた。

不穏な曇り空のせいで、内院《なかにわ》を紅紫《べにむらさき》で彩る紫薇花《さるすべり》の花もどこかくすんで見える。やがて池に張り出した四阿が視界に入った。人影は三つ。母と女官、そして大都督だ。

「我が一族はますます安泰だな！」

伯父はやたらと声が大きい。密談には不向きな男だ。

「思い返せば、ここまでの道のりは平たんではなかった。朝廷で程家の連中と渡り合うのがどれほど大変だったか。やつらときたら、幾度となく卑怯《ひきょう》な手で呉家を貶《おとし》めようとしてきやがったからな。料理人をそそのかして圭鷹に毒を盛るなど、その際たるものだ！」

圭鷹は何かに引っかかったように足を止めた。

十四のとき、なじみの料理人が蓮《はす》の葉粥《はがゆ》に毒を盛った事件。

毒にあたった央順は幾日も死の淵をさまよった。一命はとりとめたものの、女官たちを赤面させていた凜々《りり》しい容貌《ようぼう》は無残に崩れ、人前では頭巾で顔を隠すようになった。

あれは程家の陰謀だったのではないかと噂されたが、証拠は見つかっていない。

「もし、あのとき圭鷹が毒殺されていたら、登原王が東宮の主になっていただろう！」

返す返すも憎たらしい、と伯父は机を叩いた。

「程家といえば、登原王が寵愛されていることを頼みに、連中は近頃つけ上がっている。まだ玉座を狙っているようだ。やつらを排除しなければ、呉家の繁栄《はんえい》もいつまで続くか分からぬな。

いっそのこと、登原王を始末してしまうか」

「怖いことを言わないで、兄さん」

母は肘掛にもたれて溜息をついた。

度の過ぎた驕慢《きょうまん》ゆえ、あるいは他家とのいざこざや目に余る汚職で窮地《きゅうち》に陥《おちい》るたび、皇帝にとりなしてほしいと妹に泣きついてくる兄を、母は迷惑がっていた。母自身は清廉《せいれん》な人柄なので、兄妹といえども、馬が合わないのだろう。

「圭鷹と登原王は仲のいい兄弟よ。程家と呉家のいさかいで二人を煩《わずら》わせないで」

「登原王は民の支持を集めているそうじゃないか。じきに自分のほうが皇太子にふさわしいと名乗りをあげるつもりかもしれん。百歩譲《ゆず》って本人にその気がなくても、程家がこのまま引き下がるはずがない。六年前、圭鷹に毒を盛ったように――」

「……兄さんには一生秘密にしておくつもりだったけど、話しておくわ」

茶を一口飲んで、母は青磁《せいじ》の茶杯《ゆのみ》を机に置いた。

「六年前の事件、あれは程家の仕業《しわざ》じゃないの」

「じゃあ……史家《しけ》か⁉　氷希皇子を皇太子にする算段だったんだな！　いや待て、方家《ほうけ》かもしれない！　主上のご寵愛が一番深いのは英静皇子だ！　しかし、英静皇子は病弱で」

「料理人に暗殺を持ちかけた宦官《かんがん》がいたでしょう」

母は気だるそうに絹団扇《きぬうちわ》であおいだ。高く結い上げた黒髪で繊細な簪《かんざし》がしゃらりと鳴る。

「ああ、料理人に毒を盛るよう指示したやつだな。あいつは方家の回し者だったのか」

「私よ」

遠雷が聞こえる。もうじき、夕立がやってくる。

「私が宦官になりすまして、料理人にお金を渡したの」

「……何だって……おまえが……!?」

伯父が絶句する。圭鷹はその場に立ちすくんだ。

「なっ……なんでそんなことをしたんだ？　圭鷹はおまえの息子じゃないか！」

「主上がおっしゃったのよ。『圭鷹は善良すぎる。皇位には向かない』って」

絹団扇に刺繍《ししゅう》された龍爪花《ひがんばな》を眺め、美しく整えられた爪の先でなぞる。

「主上は圭鷹を試すおつもりだった。身近なところから出た裏切り者を自分の手で断罪できるかどうか。初めは毒見役の央順に裏切り者の役をやらせようとなさっていたけど、央順は忠実で主人を裏切らないから、あの料理人に目をつけたのよ」

「……しかし、なぜおまえが」

「私が名乗り出たの。事実を知ったとき、圭鷹が父一人を恨まないように」

墨《すみ》をぶちまけたように真っ暗な空で雷光がきらめいた。

「なんてことをしたんだ！　下手をしたら、圭鷹が死んでいたかもしれないんだぞ！」

「毒の量は加減してあった。致死量は渡していないわ」

「……毒見役は二目と見られない容貌になったぞ。毒見させずに食べていたら圭鷹だって」

「毒見を通さずに食事をするのがどれほど危険か、あの子は思い知ったでしょうね」

溜息まじりに答え、椅子《いす》の背にもたれる。

「圭鷹が料理人を罰したから、主上は満足なさったわ。だから翌年、立太子された」

「……おまえは」

「血も涙もない母親だと思うでしょう。これでも宦官になりすまして料理人をけしかけた後、自責の念に駆られたのよ。毒を取り返しにいこうとした。もし、毒見させずに食べたら、圭鷹がどんなに苦しむか……考えると恐ろしかった。でも、主上に諭《さと》されたわ」

母は疲れ切ったように目を閉じた。

『圭鷹を玉座にのぼらせるには、あいつの善心を削《そ》ぐ必要がある』

皇位についたとき、生来の善良さが足かせになって判断を鈍らせないように。

「名君に善人なし、と主上はおっしゃるわ。私もそれは正しいと思うけれど……」

雷鳴が轟《とどろ》き、母の声をかき消した。

「あの子がこのことを知れば私を恨むでしょう。口には出さなくても、わだかまりは残るわね。もしかしたら将来は、班太后《はんたいこう》と主上のような冷め切った母子《おやこ》になるかも」

「……彩燕《さいえん》、おまえはなんということを」

「お願いだから身を慎《つつし》んでね、兄さん。呉家は決して安泰じゃない。私が入宮した頃、班家は天帝《てんてい》一族のように栄えていた。けれど今は、呉家におされて二番手に甘んじている。班家の力を削いでいったのは誰？　班家の代わりに天帝一族の繁栄《はんえい》を手に入れたのは？」

ぱらぱらと雨が降り出した。

「圭鷹の治世で呉家を零落《れいらく》させたくないなら、慎重に行動して。圭鷹には私を恨む理由がある。私が恨まれるということは、呉家が憎まれるということ。それを肝《きも》に銘《めい》じてちょうだい。我が子を皇位につけるために母が何をしたか、いつか必ずあの子は知るでしょうから」

礫《つぶて》のような雨粒が次から次に降ってくる。冷たい滴が首筋を打つのを感じながらも、身動きできなかった。怒りとも失望ともつかない激しい感情が腸《はらわた》で煮えたぎっている。

自分に毒を盛ったのは母だった。父帝は圭鷹を試したのだ。皇位に値するかどうか。見事、試験には合格した。その結果、央順は二目と見られない容貌になり、重病の娘を抱えていた料理人は息絶え、料理人の娘は父親を喪《うしな》った。

（……それで、私はいったい何を得たんだ）

皇太子の位を手に入れた。父帝の望み通り、削り取った善心と引きかえに。

かすかに苦い笑みがこぼれる。心をたぎらせていた激情は、誰かに握りつぶされたかのように弾け飛んだ。野心家たちが夜ごと夢に見る皇位を約束されながら、どうしてこんなにも空虚なのか。まるで両手に何も持たないかのようだ。何もかも持っているはずなのに。

そばに控えていた央順が傘を開いて、圭鷹の頭上にかかげた。

「……殿下、呉皇后はご歓談中のようです。ご挨拶《あいさつ》は後日になさっては」

央順の気遣いにはうなずかなかった。皇宮では、心を殺さなければ生き残れない。

「この雨だ。早く母上を部屋にお連れしよう。風邪《かぜ》を召されてはいけない」

土砂降りの雨の中、圭鷹は四阿に向かって歩き出した。

空っぽの体を引きずりながら。


夜、青膳房《せいぜんぼう》に央順が駆けこんできた。

「殿下はお見えになっていませんか？」

まあさんと牛肉粥《がゆ》を作っていた鈴霞は目をぱちぱちさせた。

「いえ、お見えになっていません」

夕方から圭鷹が来るのを待っていたが、いっこうに来ないので先に調理を始めていたのだ。

「殿下がいらっしゃらないんですか？」

「ええ……政務を済ませた後、散歩してくるとおっしゃって出ていかれて、それきり……」

「散歩？　この雨の中？」

夕方から降り出した雨はいまだ衰えていない。雷こそやんだものの、石ころのような雨粒がひっきりなしに屋根瓦《やねがわら》を叩いている。

「傘はさしていらっしゃいましたが……」

「外衣《うわぎ》は？　羽織《はお》ってお出かけになりました？」

央順が首を横に振る。雨の夜、外衣も羽織らずに出かけたのか。

宦官《かんがん》たちに手分けして探《さが》させているというので、鈴霞も協力することにした。駆け足で自室に戻り、裾《すそ》の長い襦裙《じゆくん》から動きやすい胡服《こふく》に着替えて革の長靴《ちようか》を履《は》く。女物だが、圭鷹でも着られそうな外衣を引っ張り出して再び青膳房に戻った。染付で雁《かり》が表された扁壺《すい》に温かい杏仁茶《アーモンドティ》を入れ、まあさんに調理場を任せてから提灯《ちようちん》を持って出かける。

(殿下ったら、雨なのになんで散歩なんかなさるのかしら)

まだ鈴霞が父や兄と暮らしていた頃のことだ。ある夏の日、隣村に出かけていた父がずぶ濡れになって帰ってきた。父はその晩から高熱を出して五日も寝込んでしまった。

夏の雨は意外に冷たい。体力のある男の人だからといって油断は禁物だ。

ぬかるみに注意しながら、鈴霞は小走りで東宮の園林《ていえん》を歩き回った。

「……殿下？」

淡紅の蓮《はす》が咲く池のほとりで人影を見つけた。白蓮《びやくれん》を逆さにしたような白い傘、四爪《しそう》の龍が縫《ぬ》い取られた長衣《ちようい》。ずいぶん雨に降られたのか、袖《そで》も裾も濡れてしまっている。

「殿下！　こんなところにいたら風邪ひきますよ！」

駆け寄ったが、圭鷹はこちらを見ない。

「早く帰りましょう。夕餉《ゆうげ》はまだですか？　牛肉粥を作ったんです。温まりますよ」

彼は動こうとしない。白皙《はくせき》の横顔はなぜか途方に暮れているように見えた。

「十年ほど前、父上は皇子四人とよく象棋《しょうぎ》を指していらっしゃった」

視線を蓮池に向けたまま、圭鷹は唐突《とうとつ》に話し始めた。

「兄上は象棋が苦手で、すぐに負けそうになる。分が悪くなるといかさまをするんだ。父上がよそ見なさっている隙《すき》に、父上の駒《こま》を取って……」

やむことなく落ちてくる滴が蓮の葉をせわしなく叩いている。

「お怒りになるどころか、父上は『いかさま師め』と笑って兄上の頭を撫《な》で回したものだ」

「登原王らしいですね」

幼き日の猟月を思い浮かべて微笑《ほほえ》ましい気持ちになった。

でも、どうしていきなりこんな話をするのだろう？

「氷希は遊芸全般が得意だから、象棋も得意だ。しょっちゅう父上を打ち負かしていた」

「主上に勝ってもいいんですか？」

皇帝を相手にした場合、どんな勝負でも勝利を譲《ゆず》らなければならないという不文律がある。

「父上はむしろ面白がっていらっしゃったな。手加減なしで戦える相手は貴重だと」

皇帝に勝つたび、氷希は褒美《ほうび》をもらっていたという。

「英静が指し手に困ると、父上はいつも助け舟をお出しになる。ご自分が英静に負けるまで」

お膳立《ぜんだ》てされた勝利であるにもかかわらず、皇帝は英静を大いに褒めた。

「殿下はどうだったんですか？」

「……父上といつ象棋を指すことになってもいいように、毎日練習していた。当日は真剣に勝負に望み、ずるなどせず、最後は父上が勝つようにした」

「主上は何と？」

「おまえらしいな、とおっしゃったよ」

雨音にかき消されそうな口ぶりだった。

「私は万事そうだ。兄上のように闊達《かったつ》さで人を惹《ひ》きつけることはできない。氷希のように奔放《ほんぽう》にふるまって人を振り回すこともない。英静のように病弱だったら、父上が哀れんでくださったかもしれないが、幸か不幸か、それなりに健康だ」

皮肉っぽく笑い、胸で息を吸う。

「あらゆる点で『それなり』なんだ、私は。模範的といえば聞こえはいいが、どれも人並みで、枠《わく》からはみ出ず、抜きん出たものが何一つない。……いや、しいていうなら、善良であることだな。律儀《りちぎ》に規則を守り、弱者を労《いたわ》り、公正に判断する……しかし、その唯一の美点を……美点だと思っていたものを、父上は欠点だとおっしゃる」

善良な人間に皇位は向かないと、皇帝は言った。

「玉座の上では善心など役に立たない。父上のお考えは理解できる。君主は、善人ではだめだ。

ときには非道な命令を下さなければならない。ときには悪人と手を結ばなければならない。ときには弱き者を冷酷《れいこく》に切り捨てなければならない……」

　苦いものを嚙《か》みしめたみたいに、圭鷹は顔をしかめた。

「父上のご期待にそえるよう努力はしている。……だが、そうやって本心とは反対のことをするたび、自分の血肉が削ぎ落とされていくように感じるんだ。痛みを感じるうちはまだいい。『それなり』な私に備わった唯一の特徴が、残っているということだから」

　降りしきる雨。蓮の葉は大粒の滴を弾き、花びらは水晶をまとったように濡れていた。

「いつか、痛みも感じなくなる。どんな残酷《ざんこく》なことをしても、まったく心が動かなくなる。そうなったとき……私はどういう顔をしているんだろうな」

　独り言めいたつぶやきが雨音と混じり合って落ちていく。

「たった一つの特徴さえ失くした私は、いったい何者なんだろうか。そいつは今の自分の延長線上にいるのか、あるいは途中で別人と入れかわったのか……」

　雨、雨、雨。暗がりに広がる蓮池は、押し黙って空の涙に打たれている。

　鈴霞は何度か口を開きかけて、言葉を探した。彼に何か言いたい。ほんのわずかでも憂《うれ》いが晴れるようなことを。でも、何も思いつかないから、扁壺《すいとう》を差し出した。

「杏仁茶《アーモンドティ》です。温かいうちにどうぞ」

　圭鷹は無言で受け取った。ごくりと飲んで、思いっきりむせる。

「……杏仁茶というものは、こうも塩辛《しおから》かったか……？」

「塩辛い？　そんなはず……うっ、何これ！　しょっぱい！」

まったり甘いはずなのに、舌がねじれてしまいそうなほど塩辛い。

「あっ！　慌てて入れてきたから、砂糖と塩を間違えたんだわ！」

いくら慌てていたとはいえ、料理人としてあるまじき大失敗だ。

「……わ、笑わないでくださいよっ」

圭鷹が小刻みに肩を揺らして笑うので、鈴霞は眉《まゆ》をつり上げた。

「殿下のことが心配で急いで来たんですからね。殿下のせいで間違えたんです」

完全なる八つ当たりだが、圭鷹は愉快そうに笑っている。

「君でも、砂糖と塩を間違えることがあるんだな」

「今日だけ特別です」

「特別か。私は運がいいな。君が淹《い》れた塩辛い杏仁茶を飲めるとは」

よほど笑いのツボに入ったのか、傘を持つ手が揺れている。

「人の失敗を笑ってないで、外衣を着てください」

鈴霞は背伸びをして、広い肩に外衣を着せてやった。

「君は上に何も着てないじゃないか」

言われて初めて気がついた。胡服の上には何も羽織っていない。

「体が冷えるといけないから、君が着なさい」

「私はいいんです。殿下のために持ってきたんですから」

外衣を脱ごうとする圭鷹を押しとどめる。予期せずして互いの手が重なった。

「君はいつも私のことを優しいと言っているが、君のほうがずっと優しい」

やんわりと細められた目元。切なげな微笑に胸が締めつけられる。

彼は恐れている。求められた通りにふるまうことで、自分が自分ではなくなってしまうことを。何者でもなくなってしまうのではないかということを。そして虚しく思っているのだ。自分が考える美点は誰にも求められていない。自分が自分であることは、不要なのだと。

（……私だって、皇宮に来たばかりの頃は辛かった）

鈴霞とはまるきり正反対の栄宵麗を演じなければならなかった。言葉遣いも、立ち居振る舞いも矯正《きょうせい》されて、大好きな包丁にも触れなかった。自分が自分でいられないのは苦しい。自分の取り柄が求められないことも。

「君を泣かせるようなことを言ったらしいな」

圭鷹が苦笑するので、鈴霞は袖口《そでぐち》でざっと目元を拭《ぬぐ》った。

「殿下は隠し味なんじゃないですか」

「……ん？」

「ほら、隠し味って塩や砂糖や豆醤《みそ》や香辛料とか、種類はいろいろあるけど、使うのはほんのちょっとでしょ？　入れすぎると、他の味を殺してしまうから。かといって全然入れないと、なんとなく物足りない味付けになりますよね」

言葉を刻みつけるように、彼の手をぎゅっと握りしめる。

「おいしい料理を食べたとき、ほとんどの人はどんな隠し味が入ってるかなんて分からない。料理人だって正確には当てられないかも。だけど、隠し味が料理全体の味を調和させたり、風味を際立たせたりしていたら、『おいしい』って感じます」

隠し味とはそういうものだ。目立ちすぎてはいけない。大事なのは調和だ。他の味と上手に混じり合って、あるいは他の味を引き立てて、一品の料理を完成させる。

「隠し味ってすごく難しいんですよ。慣れないうちは入れすぎたり、少なすぎたりして失敗します。ちょうどいい量をつかめなくて、しっくりこない出来になるんです」

彼は自分を虚《うつ》ろだと思いこんでいる。本当は全然違うのに。

「殿下は『それなり』じゃないと思います。人並みでも、抜きんでたものがないのでもなく、『ちょうどいい』なんですよ」

癇癪《かんしゃく》持ちの明杏を諭したり、鈴霞の早合点《はやがてん》をたしなめたり、班太后の怒りをなだめたり、氷希に殴《なぐ》りかかりそうになった猟月を止めたり……彼は隠し味としてちゃんと作用している。

この皇宮にとって、欠くことのできない人だ。

「多すぎず少なすぎず、程よい匙《さじ》加減。これって、美点ではないですか？」

圭鷹はぽかんとしていた。ふいに笑い出す。

「なるほどな……隠し味だったのか、私は」

長い間、笑うのを我慢してきた後のように思いっきり肩を揺らす彼を見ていると、むしょうに胸が痛くなった。視界が不格好に歪み、震える声を絞《しぼ》り出す。

「泣きたいくせに、笑わないでください」

きっと何かあったのだ。雨降りの夜、一人で園林を歩きたくなるようなことが。子どもの頃の記憶に囚われて、呆然《ぼうぜん》と立ち尽くしてしまうようなことが。

「何があったか、話さなくていいから……辛いときは、泣いてください」

雨粒のような滴が頰《ほお》を伝っていく。泣きたいのは鈴霞ではなく、圭鷹なのに。

「私は泣かない」

圭鷹がゆるりと首を横に振る。濡れた目元を指先で拭ってくれた。

「君が泣いてくれるから、私が泣く必要はないんだ」

穏やかな微笑が新たにあふれてきた涙でにじんだ。

「……私が泣いても、殿下が泣いたことにはなりませんよ」

突っぱねるように言い返したつもりが、弱々しい涙声になってしまった。

「私は殿下じゃないんですから……」

圭鷹になりかわることができればいいのに。彼が辛いときだけ、苦痛を肩代わりできたら。

「ああ、そうだな。君は私じゃないし、私は君じゃない」

頬が冷えているせいか、素肌を滑る指先が焼けるように熱く感じる。

「だからこそ、惹《ひ》かれるんだ」

圭鷹は傘を捨てた。鈴霞を腰から抱き寄せ、身を屈めて唇を重ねてくる。鈴霞は目を見開いた。初めて知った彼の唇に驚いて、扁壺《すいとう》を地面に落としてしまう。

「君が好きだ」

間近で見つめられると動けなくなった。瞬きすらできずに、見つめ返すだけだ。きつく抱きしめられて、吐息を奪われる。囁《ささや》くような口づけだった。ふれあいは淡く、優しく、愛《いと》おしげだ。頭がぼんやりして、傘を持つ手から力が抜けていく。

不思議だ。杏仁茶はあんなに塩辛《しおから》かったのに、口づけは体が溶けるみたいに甘い。

雨音が遠ざかり、騒がしい鼓動が耳を打つ。

「どこにも行かないでくれ」

懇願《こんがん》するような口づけを繰り返して、圭鷹は鈴霞を抱きしめた。気づけば、鈴霞も傘を落としていた。二人して雨に打たれながら、ぬくもりを分け合うように唇を重ねる。

「そばにいてほしいんだ……」

常になく荒々しい声音。懸命に抑えこんでいた激情があふれ出したような。

(……私は、殿下のことが好きなの?)

まだ分からない。心に宿った熱が、恋なのかどうかは。ただ、強く思うのだ。もっと、こうしていたいと。彼の腕の中が思っていた以上に心地いいことを知ってしまったから。

（もうすぐ……殿下とは、二度と会えなくなるのに）

始めのうちは、身代わりの仕事が済めば約束通り天仙飯庄に帰してもらえると思っていたが、あまりに楽観的すぎると気がついた。栄家が偽の花嫁を差し出していた事実を知る鈴霞は、栄家にとって都合の悪い存在だ。生かしておくわけがない。

しかし、鈴霞だっておとなしく殺されてやるつもりはない。皇宮から連れ出されるときが逃げる好機だ。死んだと見せかけて逃げ出そう。養父母に迷惑がかかるから天仙飯庄には戻れない。都を離れて遠くに行かなければ。料理人として働けば、自分一人くらい養っていける。

そう考えていたのだけれど。

（……殿下のそばにいたい）

ずっと彼と暮らせたらいいのに。笑い合ったり、おいしいものを食べたりして。

（殿下を騙《だま》したまま……？）

栄宵麗のふりをし続けたいなんて、彼を騙し続けたいということではないか。ずきりと胸の奥が痛む。これ以上、圭鷹に嘘をつきたくない。いや、嘘をついてはいけない。

真実を打ち明けたい。許しを請うのではなく、罪を償いたい。

「……あなたに……話さなければならないことがあるんです」

鈴霞は圭鷹の背に腕を回した。よくも騙したな、と突き放されるのが怖かった。

「私……本当は、栄家の」

「殿下！」

突然、飛んできた央順の声が震える言葉を打ち消した。提灯《ちょうちん》を持ち、宦官《かんがん》たちを連れた央順が大急ぎでこちらに駆けてくる。

「至急、恒春宮《こうしゅんきゅう》にお運びください。主上がお待ちです」

「何事だ」

圭鷹は傘を拾って鈴霞に持たせた。自分は冷たい雨にさらされたままだ。

「呉皇后が血を吐いてお倒れになりました」

瞬時に空気が凍りついた。雨粒が伝う圭鷹の横顔からは血の気が引いている。

「母上に持病はないはず……。毒か？」

おそらく、と央順が面《おもて》を伏せた。圭鷹は安心させるように鈴霞の手を握る。

「急ごう、栄妃。衣服を改めなければ」

うなずいて彼についていく。ぬかるみを踏みそうになると、圭鷹が抱き寄せてくれた。

（……本当のこと、言えなかった……）

ほっとしたような、罪を重ねたような気分を引きずりながら、雨の中を駆けていった。

　圭鷹《けいよう》は鈴霞《りんか》を伴《ともな》って母の臥室《しんしつ》に入った。

　五扇の屛風《ごせんびょうぶ》、碧玉《へきぎょく》がちりばめられた香炉《こうろ》、金漆塗《きんうるし》りの宮灯《きゅうとう》、牡丹唐草紋《ぼたんからくさもん》がほどこされた花瓶《かびん》――あらゆる調度《ちょうど》にあしらわれている鳳凰《ほうおう》は、皇后を象徴する霊鳥《れいちょう》である。

　銀色の房飾りのついた牀榻《しんだい》の帳《とばり》も極彩色《ごくさいしき》で百花《ひやつか》と鳳凰《ほうおう》を刺繡《ししゅう》したものだが、今は右側が開かれている。父帝《ちちてい》が母の枕辺に腰をおろしているためだ。

「いったい何があったのですか」

「彩燕《さいえん》の夕餉《ゆうげ》に毒が盛られていた。毒見役が倒れたので食事を中断したが、遅かったそうだ。余《よ》は用事があって夕餉に遅れていたのでそばにいなかったが、明杏《めいあん》が同席していた」

　後宮警吏《こうきゅうけいり》が母の食事にかかわった者たちを調べている最中だという。

「娃蘭《あいらん》の具合はどうですか？」

　力なく体を横たえた母が青い顔で父帝を見上げた。生来の潑剌《はつらつ》とした声は影も形もない。

　父帝はわずかにためらって首を横に振る。とたん、母は痛々しく眉《まゆ》を引き絞《しぼ》った。

「かわいそうなこと。まだ十六だったのに……」

　娃蘭は皇后の毒見役の一人だ。毒見に携《たずさ》わるのは基本的に奴婢《ぬひ》だが、明杏と同い年の少女だったので、母は特に可愛《かわい》がっていた。

「手厚く葬《ほうむ》ってやるから安心しなさい」

　父帝が母の手を握って慰めた。

　これまでにも母の毒見役は二十数名亡くなっているが、全員、丁重に葬られている。奴婢には弔《とむら》いなどしないのが一般的だから、母の毒見役は幸運なほうだろう。

「お母様、死んじゃったりしないわよね……？」

　明杏は牀榻のそばに立っていた。さんざん泣きわめいたのか、目が真っ赤だ。

「幸い、症状は軽い。太医《たいい》が適切に処置したから大丈夫だ」

　父帝になだめられ、明杏は手巾で面《おもて》を覆《おお》った。次の瞬間、ぱっと顔を上げる。

「きっと向賢妃《しょうけんひ》の仕業《しわざ》ね！　お母様がお父様から象牙《ぞうげ》の化粧具《けしょうぐ》箱を賜《たまわ》ったから妬《ねた》んでいたもの。あっ、段昭華《だんしょうか》も怪しいわ！　程昭儀《ていしょうぎ》と懇意《こんい》にしてる尹荘妃《いんそうひ》だって――」

「やめなさい、明杏。母上は臥《ふ》せっていらっしゃるんだぞ。耳障りな話をするな」

　圭鷹がぴしゃりと言うと、明杏はばつが悪そうに黙った。

「とりあえずは彩燕の快復が最優先だ。太医、頼んだぞ」

　父帝は圭鷹に目配せして、臥室を出ていった。圭鷹は母に見舞いの言葉をかけたいという鈴霞を置いて、父帝を追いかける。

皇后が来客を迎える部屋には、絢爛豪華な宝座《ほうざ》がもうけられている。宝座の後ろには吉祥文《きつしようもん》様《よう》が浮き彫りにされた衝立《ついたて》、左右には雉《きじ》の尾羽で作られた宮扇《きゆうせん》が立てられていた。

「今日はおまえの様子がおかしいと彩燕が言っていたが、何かあったのか？」

紫檀《したん》製の宝座に腰かけ、父帝は圭鷹を見やった。心まで見透かすような君主の目。六年前の事件の真相を知って圭鷹が動揺《どうよう》したことも、密偵からとっくに報告を受けているのだろう。

何もかも承知の上で素知らぬ顔をする。これが父帝のやり方だ。

「猛暑が続いたので、疲れが出たようです。母上にはご心配をおかけしました」

圭鷹が苦笑まじりに答えると、父帝は「軟弱者め」と笑った。

──本心を隠すことを覚えろ。

父帝が息子の素直さを喜んだのは、せいぜい五つの頃までだった。

──嘘をつき慣れなければ、奸臣《かんしん》の嘘は見抜けない。

思えば、父帝はかねてから圭鷹を後継者にするつもりだったのだろう。もっともそれは圭鷹が兄弟の中で一番優れているからではなく、父帝の政治的な思惑からだ。

呉家《ごけ》の後ろ盾で朝政を動かす父帝にとっては、程昭儀の子である猟月《りようげつ》や史温妃《しおんひ》の子である氷《ひよう》希《き》は動かしにくい手駒《てごま》。呉氏を母に持つ圭鷹こそが使い勝手の良い手駒なのだ。

「ところで、何か重要なお話がおありだったのでは？」

「ああ、そうだった。当分の間、恒春宮《こうしゅんきゅう》の食事は青膳房《せいぜんぼう》に任せようと思う」

父帝は画山水《がさんすい》の扇子《せんす》を開いた。

「呉皇后と明杏の食事は御膳房《ごぜんぼう》が用意したものだった。御膳房での毒見では、異常はなかったようだから、毒物が入れられたとしたらその後だろう。食事が御膳房から恒春宮に運ばれるまで、かかわった者すべてが取り調べの対象となる」

扇子であおぎながら、億劫《おっくう》そうに肘掛にもたれる。

「要するに恒春宮には疑わしい使用人が大勢いるということだ。使用人は全員入れかえるが、人員の選出は慎重を期さねばならない。ゆえに、そちらが済むまで、恒春宮の食事は青膳房が引き受けろ。女官や宦官《かんがん》など、料理の運搬や給仕にかかわる人員もだ」

「料理の運搬や給仕は問題ありませんが、青膳房には料理人がおりませんので、御膳房の代わりを務めることは不可能かと」

いやな予感がした。父帝が次に何を言うか、分かってしまった。

「栄妃《えいひ》はなかなかの腕前だと聞いているぞ」

「……栄妃は趣味で料理をしているだけです。恒春宮にお出しできるようなものでは」

「謙遜《けんそん》するな。班《はん》太后が認めた女料理人じゃないか」

父帝は陽気に笑って、宝座から立ち上がった。

任せたぞ、と圭鷹の肩を軽く叩いて部屋を出ていく。圭鷹は拱手《きょうしゅ》したまま見送った。

（……狙われたのは本当に母上なのか？）

用事があって夕餉に遅れていた、と父帝は言った。つまり、父帝も同席する予定だったのだ。食卓についていたら、毒にあたったのは父帝だったかもしれない。

むしろ、母を狙う理由のほうが分からない。明杏が言うように妃嬪《ひひん》たちの嫉妬《しっと》か？　過去にはそういうこともあったが、圭鷹が皇太子に冊立《さくりつ》されてからは、なりをひそめていた。

（鈴霞一人に任せるのは危険だな……）

万一のことがあれば、鈴霞の責任が問われる。あるいはそれが父帝の狙いか？

栄家は呉家に連なる一族だから、偽物の件を公表して事を荒立てることはないだろうが、栄妃が用意した食事で何か起きれば、皇太子妃の替え玉を栄家に突き返す口実にはなる。

（……まさか、一芝居打ったわけじゃないだろうな）

母の毒殺未遂《みすい》そのものが自作自演だとしたら？　六年前のように。

疑いが頭をもたげ、ばかばかしいと一蹴《いっしゅう》する。入れ替わりの件を伏せたままで鈴霞を栄家に突き返す手立てくらい、他に山ほどある。わざわざこんな手口を使う必要はないと思う。

明言できないのは、六年前の事件の真相を知ってしまったからだ。圭鷹は父帝と母に試されていた。本件がそれとは違うと断言するには、まだ何も事実が明らかになっていない。

「殿下？　お話は済みました？」

扉の隙間《すきま》から鈴霞がおずおずと顔をのぞかせた。ぐるぐる考えこんでいても、彼女の顔を見ると、ちょうどいい具合に力が抜ける。

「ああ、終わったよ。おいで」

圭鷹が手招きすると、鈴霞はひょこひょこと駆けてきた。木香薔薇《もっこうばら》が刺された月季紅《げっきこう》の裙《くん》がひらひらと揺れ動き、披帛《ひはく》に散った銀刺繍が宮灯の光を受けて天河《あまのがわ》のようにきらめく。

青膳房が恒春宮の食事を引き受けることになった、と話すと、鈴霞は目をきらきらさせた。

「皇后様や公主様に喜んでいただけるよう、死ぬ気で頑張ります！　早速、献立《こんだて》を考えなくちゃ。そろそろ梨が出回る頃だし、鶏と梨の炒《いた》め煮なんかよさそうね。牡蠣《かき》のあんかけや焼き蛤《はまぐり》は食べ飽きていらっしゃるかしら。茉莉花《まつりか》の清湯《スープ》も……」

「私も手伝おう。食事に不手際《ふてぎわ》があれば君だけが責任を負うことになってしまうから」

圭鷹は鈴霞の手を握った。

「君一人に責任を負わせたくない」

「でも、殿下はお忙しいでしょう」

「時間なら作る。心配するな」

小さな、温かい手。いつまでも触れていたい。

（鈴霞を妻にする）

雨に打たれながら彼女に口づけしたとき、そう決意した。鈴霞を手放したくない。ずっとそばにいてほしい。こんなにも何かを強く欲しいと願ったのは初めてだ。

だが、鈴霞には有力な実家がないから、迎えるとしても下位の側室にするしかない。

正妻でもなく、朝廷に影響力を持つ親族もいない寵姫《ちょうき》は、往々《おうおう》にして不幸だ。

父帝にあれほど愛された方柔妃《ほうじゅうひ》だって、妃嬪たちの嫉妬を一身に受け、高官たちの非難にさらされ、心労が絶えなかったという。日々の苦労が重なって病気がちになっていたことは、出産に耐えられなかった一因と見て間違いないだろう。

(……毒殺されたという噂《うわさ》もあるが)

お産の後、方柔妃は薬湯を飲んだが、それから一刻もしないうちに亡くなった。薬湯に毒が仕込まれていたのだ、方柔妃を妬《ねた》んだ妃嬪の仕業だと後宮ではいまだに噂が絶えない。

黒幕として挙げられる名前で最も多いのは呉皇后――当時は呉敬妃《ごけいひ》――だ。方柔妃がやってくるまでは一番寵愛《ちょうあい》されていたから、嫉妬ゆえに方柔妃を殺したと悪意ある者たちは言う。

父帝は流言に耳を貸さないし、圭鷹もそんな噂は信じていないが、しこりのようなわだかまりが残ったことは事実。後ろ盾のない寵姫は、不幸の呼び水になりやすいのだ。

(鈴霞を方柔妃のような目には遭《あ》わせない)

圭鷹は鈴霞の能天気な笑顔が好きだ。彼女の明るさを守る形で妻に迎えたい。

「殿下が手伝ってくださるなら、面白い食事になりそうですね」

鈴霞は楽しそうに白い歯を見せた。

「あっ、あの丸っこい餃子《ギョウザ》は献立に必須ですね。私の一押しなんです。餡《あん》は海老《えび》にしてもいいかも。いろんな餡を包んで、薄味の湯《スープ》に沈めたら……」

圭鷹がじっと見つめていたせいか、鈴霞は頰《ほお》に朱をのぼらせた。

恥ずかしそうにうつむくのが可愛らしいので、つい頰に手をそえて唇を重ねたくなる。我慢したのは、ここが恒春宮だということを思い出したからだ。

「さっきはすまなかった。いきなりあんなことをして……」

鈴霞を妻として迎える道を調えるにあたって、肝心《かんじん》なことを確かめておかなければ。

「驚いただろうが、あれは私の本心だ。私は君に惹《ひ》かれている」

圭鷹は鈴霞の手を掌《てのひら》でそっと包んだ。

「君といて心癒《いや》されることには前々から気づいていた。何とか抑えようとしたんだ。君主に恋は不要だと考えていたから。……だが、塩辛《しおから》い杏仁茶《アーモンドティイ》がその考えを捨てさせた」

「……えっ、あの杏仁茶ですか？」

鈴霞は目をぱちくりさせた。

「あれ、全然おいしくなかったでしょう？」

「率直《そっちょく》に言えば、私が淹《い》れたほうが百倍ましという味だった」

「殿下にそこまで言われるなんて……。反論できないのが悔しい……」

「本当にまずかった。一生忘れられない。夢に出そうだ」

「……ここぞとばかりに傷口をえぐらないでくださいよ」

憎らしそうに唇をねじ曲げる彼女が可愛くて、やんわり抱き寄せた。

「でも、好きなんだ。君が淹れてくれた、特別な杏仁茶だから」

父帝は圭鷹を模範的な後継者に育て上げようとした。突出したところがない代わりに、大きな欠点もない人間を。天下泰平の世に英雄はいらない。求められるのは、先人たちが築き上げてきたものを損《そこ》なわず、争乱を遠ざけ、穏当なやり方で天下を統治することだ。

（鈴霞に言わせれば、それが『隠し味』ということなんだろう）

自ら率先して何かをなすのではなく、強い力で臣下たちを従えるのではなく、人々を引き立て、彼らを調和させながら、安定した治世を敷く。なるほど、それならば悪くないと思える。自分の存在に価値を見出《みいだ》せる。気づかせてくれたのは鈴霞だ。

そして彼女は圭鷹の長年の夢を叶えてくれた。

一番になってみたかった。何でもいい、誰にとってでもいい。「それなり」ではなく、人並みでもなく、頭一つ飛びぬけた特別な存在になりたかった。

『今日だけ特別です』

鈴霞が淹れてくれた塩辛い杏仁茶。彼女は圭鷹を心配して大慌てで出かけてきた。だからこそ、塩と砂糖を間違えるなんて、普段なら絶対にしない失敗をしたのだ。

あの瞬間、鈴霞の特別になれた。ほんの一瞬でも、圭鷹にとっては生涯の宝だ。

「好きなのは塩辛い杏仁茶だけじゃない」

引き寄せた手にそっと唇を押し当てると、真珠《しんじゅ》色の耳がほんのり色づいた。

「君もだ」

名残《なごり》惜しさを抑え、圭鷹は彼女の手を離した。

「突然のことで混乱しているだろう。すぐに結論を出さなくていいから、しばらく考えてみてくれ。私が何よりも欲しがっているものを与えてくれるかどうか」

「……殿下が欲しがっているもの、って……？」

鈴霞がおずおずと見上げてくる。桜桃《おうとう》のような唇を奪いたくてたまらないが、彼女の気持ちが分からない以上、自制しなければならない。

口づけする代わりに、黒目がちな瞳を見つめた。あふれんばかりの愛《いと》おしさをこめて。

「君の心だよ」


「そっちは危ないよ」

英静《えいせい》に腕を引っ張られて、鈴霞ははっとした。

例によって迷子になっていた水雅《すいが》を東宮《とうぐう》で発見し、慈晶殿《じしょうでん》に届けにきたのだ。珍しく顔色のいい英静に誘われて、内院《なかにわ》を散歩していたのだった。

「ぼんやりしていたね。考え事かい？」

ええ、と鈴霞は曖昧《あいまい》に微笑《ほほえ》んだ。

圭鷹に言われたことを考えていたのだ。好きだと言われて胸が高鳴った。口づけされてもいやではなかった。これからも彼のそばにいたいと思っている。ごちゃごちゃした想いを一言でまとめれば、鈴霞も圭鷹のことが好きだということになるのかもしれない。

だが、その感情を素直に受け取れない。なぜなら、自分は偽物の花嫁だから。

（……もし、私が本物の栄妃だったら……）

悩む必要はなかった。彼に惹かれても、後ろめたい気持ちにはならなかった。けれど、鈴霞は偽物の栄妃だ。恋を語るより先に、圭鷹に罪を打ち明けなくてはならない。自分は偽物だと、栄宵麗《しょうれい》ではないのだと本当のことを言わなくては。一度は告白すると決意したはずなのに、圭鷹に会うと何も言えなくなる。

真実を明らかにしたとたん、嘘つきめと罵《のの》られそうで恐ろしい。こんなことを思うのは身勝手だと分かっている。事実、鈴霞は嘘つきなのだ。彼に嘘をついているくせに、彼に嫌われたくない。いつも鈴霞を気遣ってくれるあの優しい手に拒絶されたら、きっと胸が痛い。

「綺麗《きれい》なお花ですわね」

堂々巡りの思考を振り払いたくて、鈴霞は視線を上げた。池のほとりに広がる、一面の紫。菖蒲《あやめ》に似た花だが、よく見ると花蕊《かずい》の部分に小さな黒い実がついている。

「素手では触らないほうがいいよ。手がかぶれるから」

「菖蒲とは違う花ですか」

「似てるけどね。偽菖蒲《にせあやめ》というんだ。あの黒い実には薬効があって、肺病に効くんだよ」

英静は体中に病を抱えているが、特にひどいのが肺だ。話している最中に咳《せ》きこむことが多く、激しい咳が出始めると、会話ができなくなってしまう。

「慈晶殿の内院には薬草がたくさん植えてあるのですね」

ここに来るまでに通った場所にも薬草が生えていた。

「自分の薬は自分で煎《せん》じるようにしているからね。内院の薬草を使うんだ」

「太医《たいい》がいるのに、ご自分でなさるんですか？」

「僕みたいな体だと、毎日薬を飲まなきゃならないだろう？　薬は食事みたいなものなんだ。自分で口にするものは自分で作りたいから、薬の勉強をしたんだよ」

圭鷹が自分で奈落芋《ならくいも》を掘ったり、茹《ゆ》でたりしていたのと似ている。

「……本音を言えば、単なる暇つぶしなんだけどね。他にすることがなくて時間を持て余してるから、薬草の世話をしたり、薬を作ったりしていると退屈せずに済むんだ」

英静は慈晶殿からほとんど外に出ない。外出を禁じられているわけではないが、体調が不安定なのでなかなか出られないそうだ。宮中行事にもあまり参加しない。

（……殿下は英静皇子とは距離を置いていらっしゃるみたいね）

圭鷹は「英静とはかかわらないほうがいい」と言っていた。英静と仲が悪いのだろうか。毒《どく》舌家《ぜっか》の氷希と違って英静は温和な人柄だから、付き合いやすいはずなのに。

「薬にお詳しいなんて頼もしいわ。私も病気のときはお薬を作っていただこうかしら」

「任せてよ。飲みやすくて、よく効くのを作るから」

にっこりした後、英静は訳知り顔でこちらを見た。

「あー……でも、栄妃の病には効かないかな」

「え？　私の病？」

鈴霞が小首をかしげると、英静は木漏《こも》れ日《び》の中でふんわりと微笑んだ。

「恋の病は、僕の薬では治せないからね」

「こっ、恋の病……？　そ、そんな病にはかかっておりませんわ」

しどろもどろに言う。圭鷹のことで悩んでいたのが顔に出ていただろうか。

「圭鷹兄上と仲良くしてるって聞いたよ。もう床《とこ》入りしたって噂もあるけど、本当かい」

「と、と、床入り……!?　し、して、してませんわよっ……！」

「床入りしたみたいに仲睦《なかむつ》まじいってことだよ。圭鷹兄上は生真面目《きまじめ》な方だから、婚礼を挙げるまでは節度を守るだろうね。だけど、もし君が婚礼まで待てないなら、協力するよ。媚薬《びやく》は作ったことがないけど、書物には作り方が載っているから研究しておくね」

媚薬のくだりから、英静は周囲に聞かれるのを憚《はばか》るようにこそこそ耳打ちした。

「け、結構ですわ！　び、媚薬なんて……！」

鈴霞は頬を赤らめて口をパクパクさせた。彼は小刻みに肩を震わせて笑う。

「いいなあ、許されてる恋って。皆が認めてくれて、祝福してくれる恋って素晴らしいね」

英静は目を細めた。誰かを悼《いた》むような、物悲しげな笑みだ。

「許されない恋は不幸だよ。本当に……。誰も幸せになれない」

「そのような恋をなさったことがあるんですか？」

一度だけ、と英静はどこか遠くを見て言う。

「身分違いですか？」

「いや、身分は王女だったよ。父上の姪《めい》で、僕にとっては従姉《いとこ》だ」

従姉ならば、同じ高《こう》姓である。古くから同姓婚は固く禁じられている。

「もしかして……恵兆王《けいちょうおう》のご息女の、緋雪《ひせつ》王女……？」

一年前、亡くなったという、恵兆王の娘。英静は緋雪と親しかったと明杏が話していた。水雅は緋雪からの贈り物だと。

「幼馴染《おさななじみ》だったんだ。子どもの頃は、よく内院で遊んだよ」

英静の視線の先では、水雅がグェーグェー鳴きながら池で泳いでいる。

「もちろん始めのうちは、従姉弟《いとこ》として付き合っていたよ。一緒に散歩して、睡蓮《すいれん》の酥餅《パイ》を食べて、水雅と遊んで……。楽しかったなあ」

「緋雪王女はどのような方でしたの？」

「お転婆《てんば》な子だったよ。動物をたくさん飼っててね。牛や犬や、羊、兎《うさぎ》、鷲《わし》……驢馬《ろば》も飼ってたかな。馬に乗るのも上手だったし、動物に芸を仕込んだりしていたよ」

緋雪が竹笛を吹くと、犬たちが一列に並んだり、玉乗りをしたりしたそうだ。

「水雅も芸ができるんですか？」

「仕込もうとしたらしいんだけど、水雅は落第生だったみたいだ。でも、そんなところが気に入って譲《ゆず》ってもらったんだ。僕も皇子としては落第生だから」

英静は口元に手を当てて空咳をした。

「緋雪が来てくれると、具合が悪くて寝込んでいても急に元気になったものだよ」

親しく交流していたが、英静が十六になった日から、緋雪はぱったり訪ねてこなくなった。

「噂で緋雪の結婚が決まったことを聞いたんだ。相手は高官の令息で、容姿も人柄も優れているという話だった。……正直、辛《つら》かった。緋雪のことが、好きだったから。でも僕は、彼女とは結婚できる立場じゃない。報われない想いは打ち明けずに、祝福しようと思った」

彼女の婚礼が間近に迫った頃、緋雪が慈晶殿にやってきた。

「おめでとうって言ったら、彼女は泣き出してしまったんだ。嫁ぎたくないって言うんだよ。父上に決められた相手だから、好きになれないって」

「他に好きな方がいらっしゃったのかしら」

英静はかすかに苦味のある微笑みを浮かべた。

「……一緒に死んでほしいって言われたよ」

緋雪は毒薬を差し出し、英静に心中を迫ったという。

『あなたと結ばれないなら、死んだほうがましよ』

彼女もまた苦しんでいたのだ。今生《こんじょう》では、誰からの祝福も受けられない恋に。

「一瞬、それも悪くないと思った。緋雪を他の男に奪われるくらいなら……」

胸が抉《えぐ》られるような思いで、英静は緋雪を諭《さと》した。切々とした恋情はひた隠しにして。

『僕は死なない。母上が自分を犠牲にして生かしてくれた命だから、しぶとく生きるつもりでいるよ。君も死ぬなんて言わずに生きてくれ。君が生きていることが、僕の幸せなんだ』

毒薬を捨てて、緋雪を送り帰した。ほどなくして緋雪は皇帝が花婿に選んだ男と結婚し、懐《かい》妊《にん》したことを明杏から聞いた。出産の際に医者の誤診で亡くなってしまったことも。

「……お辛かったでしょうね」

鈴霞は思わず涙ぐんで、袖口《そでぐち》で目元を拭《ぬぐ》った。

決して結ばれない相手に恋をしたばかりか、彼女を永遠に喪《うしな》うことになるとは。

「許されない恋なんて、してはいけないよ」

英静は木漏れ日を吸いこむように深呼吸した。

「誰にとっても悲しい結果になるだけだから」

また雨だ。今日は七夕《たなばた》だというのに、空は黒雲に覆《おお》われている。

涙雨に濡れる梔子《くちなし》を眺めながら回廊《かいろう》を歩いていると、圭鷹は珍しい顔ぶれに出会った。

「伯父上《おじうえ》、伯母上《おばうえ》――おいでになっていたのですね」

皇兄の冠をつけた壮年の偉丈夫《いじょうふ》は恵兆王・高夕遼《こうせきりょう》。父帝《ちちてい》の異母兄で、圭鷹にとっては伯父にあたる。彼に寄り添う佳人《かじん》は恵兆王妃・李淑葉《りしゅくよう》だ。二人は皇族の中でもとりわけ仲睦まじい夫婦として知られている。現に、恵兆王は王妃以外に妻を娶《めと》っていない。

「伯母上のお加減が悪いと聞いて心配しておりましたが、その後いかがですか」

「見ての通りだ。あまり顔色がよくない」

恵兆王は宝玉に触れるような手つきで、王妃の頬に触れた。

「休んでいろと言ったんだが、どうしても呉皇后の見舞いをしたいと言って聞かなくてな」

「……呉皇后のご様子は？　お会いできるかしら」

恵兆王妃が不安げに柳眉《りゅうび》をひそめた。母と同年代だが、馬に跨《また》がって狩場を駆け回る活発な母と比べて、彼女のほうが遥《はる》かに淑やかで落ちついている。

恵兆王妃はもともと大叔母の女官だったが、その薨去《こうきょ》後、皇后付きの女官を務めていた。

一年前に後宮勤めから退いているものの、母とは書簡のやり取りをしているようだ。

「寝こんでいたのは、ほんの二日ほどでした。まだ本調子ではないので太医が食事を制限しているのですが、料理が足りないとぼやいていますよ」

「呉皇后らしいな。大事ないとは聞いていたが、安心した」

「ご無事でよかったわ。盛られた毒は鬼哭珠《きこくしゅ》なんでしょう？　私、恐ろしくて……」

六年前、央順《おうじゅん》を二目と見られない容貌《ようぼう》にした毒――それが鬼哭珠である。

鬼哭珠は古来の毒ではない。六十年ほど前に薬用として南方から入ってきた薬草だ。

強力な薬効があるが、副作用も強いため、長期間の服用は奨励《しょうれい》されない。

どちらかといえば、薬より毒として使われた前例のほうが多い。調合法が難解だが、無味なので料理に加えても味は変わらない。ただし、かすかに辣椒《とうがらし》のような臭《にお》いがする。

宮廷料理に辣椒が使われないのは、鬼哭珠のような似た臭いの毒物の混入を防ぐためでもあるが、香りの強い料理では防ぎきれない。毒が盛られていた料理は、鮑《あわび》の豆乳煮。濃厚な豆乳の香りで、わずかな鬼哭珠の臭いは打ち消されていたはずだ。

（……なぜ毒の種類までご存じなんだ？）

皇后が毒を盛られたことは知られていても、毒の種類までは宮中に知れ渡っているわけではない。ましてや恵兆王は昨年から登城を拒《こば》んでおり、皇宮に上がるのは一年ぶりなのだ。

「氷希が知らせてくれたんだ。昨日、血相を変えて王府に来てな。心配させるといけないから淑葉には秘密にしたかったのに、あいつが大声で騒ぎ立てるから……」

幼い頃から、氷希は父帝よりも恵兆王に懐いている。息子がいない恵兆王も氷希を我が子のように可愛《かわい》がっており、氷希が問題を起こすたびに叱責《しっせき》するのは伯父の役目だ。

「早く主上に謁見して、後宮へ向かいましょう。呉皇后のお顔を見ないと安心できないわ」

「先に後宮へ行こう。謁見はあとでいい」

恵兆王は愛妻を抱き寄せ、白魚のような手をそっと撫《な》でた。

「おまえの気分がいいうちに呉皇后にお目通り願ったほうがいいだろう」

「ですが、失礼ではないかしら。今日は七夕節ですし、ご挨拶《あいさつ》申し上げなくては」

「お二人がお見えになったことは、私が父上にお伝えしておきますので、このまま恒春宮にお運びください。母上が空腹を訴えてきても、食べ物は与えないようお願いします」

ひどい言い方ね、と恵兆王妃がくすくす笑った。

（……だいぶやつれてしまわれたな）

生来の美貌に影が落ちているのは、昨年、恵兆王夫妻の長女・緋雪王女が薨去したせいだ。享年十八。嫁いで一年目、呉皇后を訪ねて後宮に来ていた日のことだ。まだ産み月には早いのに急に産気づき、月足らずの子を遺《のこ》して帰らぬ人となった。娘を亡くした恵兆王妃は悲嘆に暮れて、病床に臥《ふ》せってしまい、長年の宮仕えから退くことになったのだった。

「すでに事件から三日以上経っていますが、念のため皇宮内でのご飲食にはご注意ください」

圭鷹は立ち去ろうとした伯父夫妻を呼び止めた。

鬼哭珠は一度に調合できる量が少なく、いったん調合して毒性を高めると、その毒性は三日しか保たない。四日目には無害になるが、犯人が捕まっていない以上、警戒は必要だ。

「圭鷹」

恵兆王妃を女官に任せて一足先に後宮に向かわせ、恵兆王が圭鷹を引きとめた。

「聞いたぞ、栄家から妃を迎えるそうだな」

「婚礼には伯父上もお招きしたいのですが、お出でくださいますか」

「ああ、もちろんだとも。立派になった甥《おい》の結婚を王妃と一緒に祝いたい」

親しげな笑みを浮かべた後、恵兆王は眉《まゆ》を曇らせる。

「花嫁のことをよくよく気にかけてやれ。東宮は後宮の目と鼻の先だ。緋雪のようなことが起こらないとも限らない。……あんなことは、二度とあってはならないんだ」

「伯父上……。伯母上は、例のことはいまだご存じないのですね」

「娘の変わり果てた姿を見ただけでも大変な苦しみだったのに、その上、淑葉があれを知ったら……立ち直れなくなる。この秘密は墓まで持っていくつもりだ」

しばらく見ないうちに、恵兆王は老けこんだようだ。目元の皺《しわ》に苦悩がにじんでいた。

「ときどき、花嫁衣装を着た緋雪がばたばたと走ってくるような気がする。ちょうど婚礼は二年前の今頃だったな。夏場は暑いから婚礼は春がよかったのにと文句を言っていた」

卜占《ぼくせん》で緋雪の婚礼にふさわしい吉日は七月二十日と決まったのだ。

「とても綺麗《きれい》な花嫁でしたよ」

「美しかったが、淑やかではなかったぞ。人目も憚《はばか》らず、花婿に抱きついて……」

恵兆王が黙りこんでしまうので、圭鷹は園林《ていえん》を見やった。

しとしとと降る雨に濡れる梔子《くちなし》の白。それは従妹の葬儀で見た弔《とむら》いの色に似ていた。


恵兆王の登城から十日が経った。

後宮警吏《こうきゆうけいり》から新たな報告があった。皇后の毒見役の娃蘭が死亡時に持っていた巾着から小さな紙くずが見つかったとか。その紙には料理に盛られていた鬼哭珠の残りが付着していた。

圭鷹が文書を机に置くと、猟月が荒っぽくそれを手に取った。

「呉皇后は毒見役に毒を盛られたっていうのか？」

「ここ最近の娃蘭の行動に疑わしい点がある。彼女はとある男と頻繁《ひんぱん》に会っていたんだ。同輩の奴婢《ぬひ》が何度か二人を見ている。恋人にしか見えないほど親しげだったそうだ」

「そいつが娃蘭をそそのかして呉皇后に毒を盛ったとでも？」

「娃蘭は母上に可愛がられていた。誰かにそそのかされたのでなければ毒を盛る理由がない」

「その男がどんな人相だったのか、見たやつはいないのか？」

猟月が険しい面持《おもも》ちで問うたとき、明杏がばたばたと駆けこんできた。

「お兄様！　央順を助けてあげて！」

明杏は猟月を素通りして、圭鷹に詰め寄った。

「央順がお母様に毒を盛ったんじゃないかって後宮警吏に疑われているの。そんなことあり得ないのに！　娃蘭に毒を渡した疑いがかかってるっていうのよ！」

「ちょっと待て、央順だと？　じゃあ、娃蘭と会ってた男ってのは……」

「目撃者は『頭巾で顔を隠した男だった』と証言している」

圭鷹は兄の問いに答え、椅子《いす》の背にもたれた。

「……どう考えても央順には分が悪い。央順は夏家《かけ》の出身だから」

二十数年前、父帝の従兄が謀反《むほん》を計画していたことが発覚した。

謀反は重罪である。玉座の夢を見た皇族の妻子のみでなく、関与した官吏《かんり》たちも処分された。

貴族としては中流の夏家も、厳罰を受けた一族のうちの一つだ。

ただし、三歳以下の子女は減刑され、身分を奴婢に落とされるだけで済んだ。

この謀反事件を暴いたのは呉家の官吏だった。央順は呉家に親族を殺され、身分を奴婢に落とされたことになる。呉皇后を恨んでもおかしくない、というのが後宮警吏の見解だ。

「央順が呉家を恨んでるはずないわ！　当時は幼すぎて、家族のことも覚えてないのよ！」

本人はそう言っている。事実、央順は親族の墓参りもしたことがない。

「下手《へた》に騒ぎ立てないほうがいいぞ、明杏」

猟月は事件の詳細を記した文書をぱらぱらと眺めた。

「かばい立てすると、父上がお疑いになる。調べが済むまでおとなしくしていろ」

「おとなしくしていられないわよ！　央順は拷問《ごうもん》されてるのよ！　さっき獄舎《ごくしゃ》に行ってきたけど、ひどく殴《なぐ》られてた……。痛そうで、苦しそうで……このままじゃ死んじゃうわ」

明杏が大粒の涙をぽろぽろこぼす。妹は幼い頃から央順を慕っているのだ。

（哀れだが、不毛な恋だ）

公主が奴婢と結婚できるはずもない。奴婢は奴婢同士ですら結婚を禁じられている。

「気持ちは分かるが、央順は奴婢だ。厳しい取り調べは免れない。拷問《ごうもん》されても潔白を主張し続ければ、父上だって納得してくださる。堪《こら》えるしかないんだ」

「お兄様ったら、冷たいのね……。央順はお兄様に忠実に仕えてきたのに」

真っ赤な目で睨《にら》まれ、圭鷹は溜息をついた。

「私だって央順が犯人とは思えない。あいつは皇家に忠誠を誓っている。だいたい、頭巾で顔を隠せば誰だって央順になりすますことは可能だ」

「そうよ！　誰かが央順になりすましていたんだわ。お兄様、そのことを後宮警吏に」

「私が彼らに命じて取り調べをやめさせたらどうなる？　疑いは晴れるどころか、私が側仕《そばづか》えに同情して後宮警吏の邪魔をしたと言われるぞ」

またおまえの悪い癖《くせ》が出たな、と父帝は呆《あき》れるだろう。

「お兄様が何もしてくれないなら、妾が助けてあげるわ」

「君が騒げば、央順は奴婢でありながら公主をたぶらかしていると誇《そし》られる」

明杏は無言で睨みつけてきた。心苦しいのは圭鷹も同じだ。央順がどれほど忠実な男かよく知っているだけに、濡れ衣を着せられたことには憤《いきどお》りを感じる。

だが、下手にかばい立てして、央順への疑惑が強まったら元も子もない。

「手は打ってある。余計なことはせずに待ちなさい」

気が済むまで兄を睨み、明杏は泣きながら部屋を出ていった。


父帝は央順を怪しんでいるだろう。使われた毒は、六年前の事件と同じ。事件の真相を知って腹を立てた央順が復讐を仕掛けたという推論も成り立つ。

「氷希も疑われている。皇族だから拷問まではされてないが、王府を手入れされた」

圭鷹は呂守王府《ろしゆおうふ》に貯蔵されている薬物の目録を猟月に渡した。

「あいつ、史温妃のために異国の薬を取り寄せてたから、そこに目をつけられたんだな」

氷希の母親である史温妃は極端に視力が落ちる奇病に悩まされている。他人には悪態ばかりつく氷希は意外に母親思いで、他国からさまざまな薬を買って母の治療をしていたのだ。

「あ、そういえば、今日の晩餐《ばんさん》も栄妃が作るんだって？　楽しみだなあ」

「私も作るぞ」

「……おまえは皿洗いでもやってろ」

猟月がげんなりした顔をするのは、数日前に青膳房で圭鷹作の包子《まんじゆう》を勝手につまみ食いしたからだろう。鈴霞が作ったものだと思ってかぶりついたら、大後悔したそうだ。

「栄妃が作った最高にうまい料理の中に、おまえの激マズ料理が混ざってるなんて悪夢だろ。呉皇后も明杏も、よく文句言わずに食べてるな」

母は無事に快復し、父帝の命令通り恒春宮《こうしゅんきゅう》の食事は青膳房——すなわち鈴霞が請け負っている。何事かあるのではと心配していたが、さしあたって問題はない。

「文句を言うなら、今夜は来なくていい」

今日の恒春宮での晩餐には父帝と猟月、氷希、英静も同席することになっている。日頃、慈品殿にこもりきりの英静が久しぶりに兄弟そろって食事をしたいと言い出したのだ。

「おまえの料理は避けて、栄妃の料理だけ手をつけるようにするよ」

兄が笑顔で宣言するので、どうやって自分の料理を食わせるか策を練《ね》ることにした。


「できたな」

「できましたね」

鈴霞と圭鷹は鍋をのぞきこんで微笑《ほほえ》み合った。

青膳房で晩餐の支度《したく》をしている。まあさんら東宮の女官たちにも手伝ってもらっているが、大鍋から甜醬《あまみそ》のいい匂《にお》いを漂わせている羊肉の煮込みは鈴霞と圭鷹で作った料理だ。賽子《さいころ》状に切った羊肉を甜醬と酒で煮込み、臭《くさ》み取りに龍眼肉《りゆうがんにく》と胡桃《くるみ》を加えたものである。肉の角が取れて琥珀《こはく》のような艶《つや》のある茶褐色《ちやかつしよく》になるまでじっくり煮込むため、火加減が大事だ。

その最も重要な工程を圭鷹に任せるのは……かなり不安だった。

真っ黒にしてしまわないか心配だったけれど、頻繁《ひんぱん》に様子を見にきたのが功を奏したか、出来上がったものは琥珀《こはく》の粒のようにつやつやしていて、おいしそうに見える。

「見た目はいいが、問題は味だ……」

圭鷹は鈴霞が小皿によそった羊肉の煮込みをおそるおそる口に運んだ。

「うまい。肉が雪みたいに溶けていくな。奈落芋《ならくいも》が入っているとは思えない出来だ」

万一に備え、今夜の料理にはすべて奈落芋を入れることになっている。羊肉の煮込みには奈落芋のすりおろしをどっさり入れた。奈落芋は毒性を消す作用がある。毒物を入れられたとしても毒性は弱まり、猛毒の場合でも死には至らず、吐き気を催《もよお》す程度で済む。

「奈落芋の臭みを取るために龍眼肉をどかどか入れちゃいましたけど、甘すぎはしないし、汁にとろみがついてて、ほっこりする仕上がりですね」

ふうわりと舌に残る胡桃の風味も、奈落芋の癖を打ち消すのに一役買っている。

「少しでいいから、取っておいてもいいか？　あとで央順に届けたいんだ」

央順が呉皇后の毒殺未遂《みすい》にかかわったとして厳しい取り調べを受けていることは聞いている。

「いいですよ。たくさん作りましたからね。饅頭《パン》も一緒に食盒《じゆうばこ》に詰めましょうか」

「ありがとう。あいつ、喜ぶだろうな。君の料理には目がないんだよ」

圭鷹は央順をいたく心配している様子だった。皇太子という立場にあっても、いや、だからこそ央順をかばえない。彼にとっては、歯がゆくて堪《たま》らないのだろう。

「……何ですか？」

熱っぽい視線を感じて、鈴霞は顔を上げた。

「なんで君は私を魅了するのかと考えていた」

「そ、そんなこと考えたってしょうがないですよ」

「ああ、そうだな。理屈じゃないんだろう。君が可愛《かわい》いのも、君が愛《いと》しいのも」

圭鷹は鈴霞の後ろに回り、白玉《はくぎょく》の箸《はし》を持つ鈴霞の手に自分の手をそえた。

「なっ、何をなさるんです？」

「手伝いをしようと思ったんだ」

「て、手伝わなくていいですよっ。これくらい、一人でできますからっ」

鈴霞は頰《ほお》を染めておろおろした。後ろから包まれるように抱かれている。走り回った後みたいに鼓動がうるさくなって、料理を食盒に詰めるどころではなくなってしまう。

「君の手は小さいな。こんな小さな手で料理を詰めるのは大変だろう」

「全然大変じゃないですから！」

大きな掌《てのひら》で包まれた手が熱くて、白玉の箸が溶けてしまうのではないかと思った。

「落ちつかなくて何もできないんですけどっ」

「気にするな。私だって落ちつかない。君が愛らしすぎて」

「……だったら離れてくださいよ」

赤らんだ顔をうつむけるのが鈴霞にできる精いっぱいの抵抗だった。


料理の支度が済むと、鈴霞はまあさんに捕まえられて着替えさせられた。

皇帝が同席する晩餐である。さすがに普段着というわけにはいかない。

花金鳳花《はなきんぽうげ》が咲き競う薄緑の襦裙《じゆくん》、涼風を形にしたような空色の披帛《ひはく》。髪は頭の後ろに大きな輪を二つ作る飛天髻《ひてんけい》に結い、垂れ飾りのついた簪《かんざし》を挿して、桔梗《ききよう》の髪飾りをつける。

一足先に恒春宮に行こうとして部屋を出ると、圭鷹と会った。

彼も着替えを済ませていた。四爪《しそう》の龍が飛翔する長衣《ちようい》は落ちついた紺藍《こんあい》。団龍紋《だんりゆうもん》が表された膝蔽いは紫黒《しこく》で、薄手の外衣《うわぎ》とともに彼がまとう静謐《せいひつ》な空気を際立たせている。

「変なところはないですか?」

鈴霞は彼の前でくるっと回ってみた。圭鷹は何も言わず、じっと見ている。

「……帯留めの位置がずれてます? ずれてないわよね……。お化粧《けしよう》だって完璧にしてもらったし、花鈿《かでん》もちゃんとしてるし、髪だって……あっ! 団扇《うちわ》を忘れてきたわ!」

急いで部屋に戻ろうとしたとき、圭鷹に腕を引っ張られて抱き寄せられた。

「……私はつくづく我慢強い男だと思う」

かすれた声が耳朶《じだ》を打つ。

「こんなふうに可愛い姿を見せつけられて、さんざん挑発されているのに、君に口づけしたい衝動を何とか抑えこんでいるんだから」

首筋にかかる吐息にどきっとした。

「例の返事は、まだ聞かせてもらえないのか」

「えっ……ええと……もう少し、待ってください」

自分は偽物だと、本当のことを話さなければならないのに、また逃げてしまった。

「急《せ》かして困らせたくないが、あまり長く待たせないでくれ」

圭鷹は頰にかかっていた鈴霞の髪をそっと払った。

「君に飢えて死にそうなんだ」

「……私は食べ物じゃありませんよ」

鈴霞は絹団扇を持ってこなかったことを猛烈に後悔した。顔を隠すものがない。

「食べ物よりもっと魅力的な……いや、待て。よく見ると、君は蒸したての包子みたいだな」

「そんなに顔が丸いですか⁉」

自分の両頰をつまんでみた。圭鷹は笑って、頰をつまむ鈴霞の両手を掌で包んだ。

「おいしそうだと言いたかったんだ」

彼の掌で包まれた両手がかあっと熱くなる。

（……あの日はどうかしてたんだわ）

雨の中で圭鷹に口づけされたとき、どうして立っていられたのだろう。

今はただ、こうして見つめられるだけで、膝から力が抜けそうになるのに。


恒春宮の大広間は、無数の彩色蠟燭《さいしょくろうそく》が灯されて昼間のように明るい。

一段高い場所に並べられた二台の長卓は皇帝と皇后のものだ。金と珊瑚《さんご》で装飾された屛風《びょうぶ》が一隻《せき》ずつ据えられている。三台ずつ向かい合う形で並べられた六台の長卓の背後には、祥雲《しょううん》と鵲《かささぎ》が彫られた翡翠《ひすい》の屛風が置かれ、長卓の間の花瓶《かびん》には蓮の花が活《い》けられていた。

まだ皇帝や呉皇后は来ていない。鈴霞は食卓に粗相《そそう》がないか見て回った。

「このお皿は主上のものよ」

鈴霞は英静の長卓に皿を置いた女官に言った。粉彩《ふんさい》で龍鳳《りゅうほう》が描かれた白磁《はくじ》の平皿は皇帝のものだ。皇帝と英静の皿が入れかわっている。料理は同じだが、器は身分に応じて違う。

「すぐに入れかえないと非礼だわ。それから……」

「そのままでよい」

重い衣擦れの音とともに皇帝が屛風の後ろから現れた。内輪の席であるためか、十二種の文様が刺繍《ししゅう》された漆黒《しっこく》の上衣下裳《じょういかしょう》ではなく、瑞雲と青龍《せいりゅう》が縫《ぬ》い取られた長衣を着ている。

連れているのは英静だった。こちらは象牙色《ぞうげ》の生地に竹葉《ちくよう》と双鶴《そうかく》が表された長衣姿で、女のように優麗《ゆうれい》な面差《おもざ》しに儚《はかな》げな微笑を浮かべている。

「余《よ》は皿の色など気にしない」

皇帝は鷹揚《おうよう》に笑う。英静と並んでいると、父子というより、年の離れた兄弟のようだ。

「栄妃が作った料理なら、どんな皿に盛られていても美味でしょうね」

「油断は禁物だぞ。圭鷹も手伝っているらしいからな。あいつが料理の才能に恵まれていないことは、猟月と明杏から聞いている。怪しいものには手をつけないほうが無難だ」

「僕は圭鷹兄上の手料理を食べてみたいんですよ」

「命知らずなやつめ。太医《たいい》をそばに呼んでおくべきだな」

皇帝が英静に向ける目は、まるで稚い我が子を見るようなものだった。圭鷹に向けられる目は、臣下を見るときのように何かを隔《へだ》てているのだけれど。

ほどなくして、呉皇后と明杏、班太后のご機嫌伺いに行っていた猟月と圭鷹、そしてすこぶる機嫌の悪そうな氷希が大広間に入り、皇帝に挨拶《あいさつ》した。

皇帝が座るのを待ってから、おのおの席につく。

華やかに着飾った楽師たちが雅《みやび》やかな音楽を奏で始め、晩餐《ばんさん》が始まった。

「あれ？　圭鷹が作った料理なんかないぞ」

猟月はこわごわ箸をつけていたが、味に問題がないと分かってからは、ぱくぱく食べ出した。

葱《ねぎ》と花椒《さんしょう》をのせた青魚の炒《いた》め煮、水晶を溶かしたような湯《スープ》に火腿《ハム》と冬瓜《とうがん》を沈めた吸い物、鶉《うずら》肉の甜醬《あまみそ》炒め、新鮮な海老《えび》を使った海鮮の包み蒸し、香ばしい豚肉の揚げ煮、蓮《はす》の葉で包んだ蒸し肉──彼の食卓に並んだ器は見る見るうちに空《から》になっていった。

「この羊肉の煮込みはうまいなあ。とろとろで、甘くて、口に入れると溶けてしまう」

「私が作ったものだぞ、兄上」

鈴霞の左隣にいる圭鷹が言うと、猟月は大急ぎで箸を置いて酒をあおった。

「うわ、それ聞いたらまずい気がしてきた」

猟月がおどけたふうに肩をすぼめるので、大広間には和《なご》やかな笑い声が響いた。

圭鷹は憮然《ぶぜん》としていたが、鈴霞が視線を向けると、微笑を返してくれた。

(何事もなく終わりそうね)

晩餐が滞《とどこお》りなく進んでいくので、鈴霞は胸を撫《な》で下ろした。恒春宮の食事の管理はやりがいがあるが、神経を削《けず》る仕事だ。粗相があったらと思うと、気が気ではない。

「おいしかったよ、栄妃」

英静が食後の薬湯を飲みながら微笑《ほほえ》んだ。

「いつもは全然食べられないんだけど、今日はたくさん食べられたよ」

「確かに珍しく食事に手をつけたな」

皇帝は満遍《まんべん》なく料理が減っている英静の食卓を見て、満足そうにうなずいた。

「よほど栄妃の料理が気に入ったみたいだな。よし、栄妃には英静の食事も任せようか」

「栄妃は恒春宮の食事を切り盛りするので手いっぱいです。代わりに私が弟のために力を尽くしましょう。幸い、栄妃に師事して腕前が向上しているようですので」

圭鷹が自信たっぷりに言うと、猟月が思いっきり顔をしかめた。

「あいつにやらせるのは危ないですよ、父上。今夜の料理は栄妃が付きっ切りで監視してたからたまたまうまくいっただけで、こないだの包子《まんじゅう》なんか本当にひどかったんですから」

猟月は圭鷹手製の包子がいかにまずかったか力説する。皇帝は声を上げて笑っていた。

「そこまで言われると、かえって食べてみたくなるわね」

呉皇后は金製の匙《さじ》で白魚の湯《スープ》をすくい、嬉しそうに口に運んでいる。毒を盛られたのだからもう少し警戒してもいいと思うが、以前のようにもりもりと食べていた。

「今度、私にも作ってちょうだい。息子の手料理がどんなものか、試してみたいわ」

「だめですよ、呉皇后！　病み上がりでいらっしゃるんだから、そんな冒険をなさっては」

猟月が面白おかしく圭鷹の包子を酷評するので、鈴霞はむっとした。圭鷹がからかわれるのは癪《しゃく》だ。会話に割って入ろうとしたとき、圭鷹に話しかけられた。

「君の食卓にある李《すもも》のほうがうまそうだな。一つくれないか」

金糸銀糸で飾りをつけた籠《かご》に季節の果物が盛られている。同じ籠は圭鷹の長卓にも置かれているのだが。鈴霞が小皿に盛った李を持っていくと、圭鷹が低く耳打ちした。

「父上に英静の食事を任せると言われたら、医術の心得がないから太医の指示がなければ食事は用意できないと言いなさい。前にも話したように、あいつとはかかわらないほうが」

「……英静兄様っ！」

突然、明杏の甲高《かんだか》い悲鳴が大広間を引き裂いた。

皆の視線が圭鷹の向かい側に座していた英静に集まった。英静は青白い手で口元を押さえている。指の間からぽたぽたとこぼれるのは、毒々しいほど真っ赤な滴《しずく》。次の瞬間、英静が激しく咳《せ》きこんだ。象牙《ぞうげ》色の長衣に、食卓を彩る白磁の皿に、鮮血が飛び散る。

「……太医だ！　太医を呼べ！」

皇帝が席を立った直後、英静は事切れたように食卓に倒れこんだ。


「毒が盛られていたのは、こちらの羊肉の煮込みです」

老齢の後宮警吏が粉彩で龍鳳が描き出された平皿を指し示した。英静は太医の治療を受けるために運び出されたが、彼が吐いた血はそのまま食卓に残されている。

鈴霞は生々しい光景に身震いした。誰かが英静を殺そうとしたのだ。

（……殿下）

隣に立つ圭鷹が手を握ってくる。温かい掌《てのひら》が恐怖と不安を少し和らげてくれた。

皇帝の指示で、大広間にいた者は女官や宦官《かんがん》、毒見役、楽師《やくし》に至るまで、ここから出ることを禁じられている。例外は英静の毒見役を務めていた四人の宦官たちだ。彼らは気分が悪いと言い出して吐き気を催《もよお》したため、別室で治療を受けることになった。


「使われた毒は？」

「かすかに辣椒《とうがらし》のような臭《にお》いがするため、鬼哭珠《きこくしゅ》と思われます」

大広間がざわめいた。鈴霞の左手を握る圭鷹の右手に力がこもる。

「毒見役が具合を悪くしたのも、この料理が原因だな？」

「四人とも羊肉の煮込みに口をつけております。他には考えられないかと」

「……誰だ？　今、名乗り出れば、親族までは咎《とが》めずにおいてやる」

皇帝は勘気をあらわにした目で大広間を見回した。怒声ではなくても、その声色からは煮え
たぎる憤怒《ふんぬ》が感じられる。使用人たちは縮み上がっていっせいに跪《ひざまず》いた。

「わ、わたくしではありません！　皇子殿下に毒を盛るなど、考えもしないことです！」

「私は栄妃様のご指示で器を並べただけで……」

「食卓に近づいていないのです！　毒を入れられるはずがありません！」

給仕たちや楽師たちが青ざめた顔で口々に身の潔白を訴える。彼らの声はどんどん重なって
いき、獣の咆哮《ほうこう》のように高い天井にこだました。

黙れ、と皇帝が一喝《いっかつ》すると、使用人たちは舌を引き抜かれたように黙りこんだ。

「疑わしい者は他にもいる」

皇帝は皇子たちを見やった。我が子を見る目ではない。邪臣《じゃしん》を威圧する目だ。

「おまえたちには、かかわりのないことか」

「当然です、父上。今夜の食事は細心の注意を払って用意したもの。万一、毒物を入れられても大事に至らないよう、すべての料理に毒性を弱める効能がある奈落芋《ならくいも》を混ぜています」

圭鷹は淡々と答えた。

「毒を盛るつもりならそのようなことはしません。そもそも英静は父を同じくした弟です。毒を盛ろうなどとは、夢にも思いません」

皇帝は圭鷹、猟月、氷希を順繰りに見て、何も言わずに視線を血まみれの食卓に戻した。

「……あれは余の皿だったな」

粉彩《ふんさい》で龍鳳《りゅうほう》が描かれた白磁の平皿。女官が間違えて英静の食卓に置いた、皇帝の皿だ。

(狙われたのは、主上だったの……?)

血を吐いて倒れるはずだったのは、英静ではなく、皇帝だったのだろうか。

圭鷹の手がにわかに緊張した。見上げると、彼は思案するように目を伏せている。

大広間が水を打ったように静まり返ったとき、朱塗りの扉が外側から開かれた。小走りで入ってきたのは年若い後宮警吏だ。雲紋が彫られた葵花形《きかがた》の合子《ごうす》を持っている。強張《こわば》った面持《おもも》ちで上役に駆け寄り、合子のふたを開けて中の薬包を見せ、何事か耳打ちした。

「……主上。今しがた、こちらが青膳房の調理場から見つかりました」

老齢の後宮警吏が合子を皇帝に差し出した。

「薬包の中身は、鬼哭珠です」

場内がどよめいた。皇太子、主上の皿、毒という単語があちこちから飛び交う。

（おかしいわ……！　あんなふうに紙で包んだものなんて、調理場にはなかったわよ）

合子自体は調理場の棚《たな》にしまってあるものの一つだ。しかし、中身は細かな乾物や香辛料《こうしんりょう》であり、紙の匂《にお》いが移るといけないから、じかに合子に入れることになっている。

「これに見覚えは？」

皇帝が圭鷹に向き直る。圭鷹は「ございません」と答えた。

「おまえならそう答えるだろう。余が仕込んできたからな」

あてこするように言い、後宮警吏に命じる。

「皇太子を拘束《こうそく》せよ。栄妃もだ」

後宮警吏たちが圭鷹と鈴霞を取り囲んだ。腕をつかまれようとして、血の気が引く。

「……なっ、何かの間違いですわ！　あんなもの、調理場にはありませんでしたし……」

「栄妃、主上に従いなさい」

弁明しようとすると、圭鷹に止められた。

「心配いらない。騒ぎ立てなくても、私たちが無実であることはいずれ明らかになる」

ぎゅっと手を握ってくれる。怖いけれど、彼がいてくれれば大丈夫だという気がした。

「おまえたちが無実かどうかはさておき、事実は明らかにする」

皇帝は冷然と二人を見ていた。その瞳に肉親の情はない。

「それまでおとなしくしていろ」


鈴霞と圭鷹は朱鳥殿《しゅちょうでん》に軟禁《なんきん》されることになった。

朱鳥殿は後宮の外れにある殿舎《でんしゃ》だ。昔は美しい宮女が暮らして華やいでいたようだが、いつからか誰も住まなくなり、後宮の罪人を一時的に閉じこめる場所になったという。

「懐かしいわあー」

鈴霞は提灯《ちょうちん》の明かりを頼りにして臥室《しんしつ》や居間を見て回り、そんな感想をこぼした。

がらんとした黴臭《かびくさ》い室内。天井には蜘蛛《くも》の巣が張り、床は水染みだらけだ。机や衾褥《ふとん》のない牀榻《しんだい》、長椅子《ながいす》など、最低限の調度品《ちょうどひん》しかなく、全体的にうっすらと埃《ほこり》をかぶっている。

「このみすぼらしさが実家と似てるわ。まあ、ここのほうが百倍立派だけど、雰囲気が……」

「牀榻は君が使いなさい。私は長椅子で休むから」

圭鷹が薄っぺらい衾褥を牀榻にしいた。数日過ごすことになるだろうからと、後宮警吏《こうきゆうけいり》が粗末な着替えと一緒に持ってきたものだ。

「あっ、い、今のは栄家の侍女の話ですよ。実家がみすぼらしいっていつも言って……え？　殿下は長椅子で休むんですか？　だっ、だめですよ。殿下が牀榻を使ってください」

「君は晩餐《ばんさん》の支度《したく》で疲れているだろう。本当はこんなところではなく、ちゃんとした部屋で休ませてあげたいが、すまないな。我慢してくれ」

圭鷹はぎこちない手つきで衾褥に敷布を広げた。

「女官が一人もいないのは難儀《なんぎ》だな。私はともかく、君には介添えが必要なのに。ああ、湯の支度も頼んでみるか。軟禁なんだから、それくらいは主張してもいいはずだ」

寝床を整える圭鷹の背中が蠟燭《ろうそく》の明かりにぼんやり浮かび上がる。

声をかけようとして、かけられなくて、鈴霞は唇を嚙《か》んだ。

（……私より殿下のほうが疲れてるでしょう）

通常の政務に加え、呉皇后の毒殺未遂《みすい》事件についても調べていた。後宮警吏の取り調べを受けている央順の身を案じていた。晩餐の支度も手伝ってくれた。

その上、皇帝暗殺の疑いをかけられ、蜘蛛《くも》の巣が張った部屋に軟禁された。

理不尽な処遇に対する怒りとたまりにたまった疲労で苛立《いらだ》ってもいいはずなのに、彼は冷静さを失わず、自分のことは後回しで、鈴霞を気遣ってくれる。

もうだめだ、と思った。彼にこれ以上、嘘をつくことはできない。

「こんなものかな。敷布をしくのは初めてだから、うまくいっているかどうか……」

「殿下、お話ししたいことがあります」

あふれそうになる涙を堪《こら》え、鈴霞はその場に跪いた。泣く資格はない。ただ懺悔《ざんげ》するだけ。

「私は栄宵麗ではありません。市井《しせい》の料理人なんです」

もっと早くこうするべきだったのだ。

「貴族の生まれでもなくて、貧農の娘で、本当なら殿下のお姿も見られない身分です」

鈴霞はどういう経緯で栄宵麗の替え玉として入宮したか、包み隠さず語った。

（……軽蔑《けいべつ》なさるでしょうね）

たとえ激昂《げっこう》しても、圭鷹は鈴霞に手を上げたりしない。彼は激情のままに行動する人ではない。その代わり、心の底から鈴霞を嫌悪するだろう。二度と言葉を交わしてくれないかもしれない。それどころか、視界の端にすら鈴霞を入れてくれなくなるかも。

自業自得《じごうじとく》だ。鈴霞は彼を騙《だま》していたのだから。

「この命で罪を償うつもりです。どんな罰でも受けます。……ですが、どうか天仙飯庄《てんせんはんしょう》には恩情をかけていただけないでしょうか。天仙飯庄の旦那様も奥方様も、何もご存じありません。私が勝手にしたことなんです。厚かましいお願いだとは分かっていますが、どうか……」

ご容赦くださいと鈴霞は埃だらけの床に額《ぬか》ずいた。天女のような衣装、垂れ飾りが揺れる金の簪《かんざし》、紅玉を連ねた首飾り。偽物には似つかわしくない美麗《びれい》な品々が自分を責めているかのようだった。おまえのような嘘つきには不釣り合いだと。

額ずいたままでいると、圭鷹が臥室を出ていった。後悔が波のように押し寄せてきた。それは洗いざらい罪を告白したことに対してか、もっと早く打ち明けるべきだったことに対してか、栄宵麗の身代わりとして入宮してしまったことに対してか。

何もかもが過ちだ。何もかもが許されないことだ。きつく唇を噛《か》む。

永遠のようなひとときの後で、足音が戻ってきた。

「いつまでそうしているつもりだ。立ちなさい」

圭鷹は床に屈みこんで、鈴霞を起き上がらせた。彼の顔を見る勇気がなくて下を向いていると、右手をひんやりした布で包まれる。

「手が汚れているぞ。髪にも埃がついている。ほら、牀榻に座りなさい」

丁寧に両手を拭《ぬぐ》って、髪についた埃を払ってくれる。優しい仕草に胸が詰まった。

「……なんで優しくしてくださるんですか。私、殿下を騙してたんですよ。なのに……」

「騙されたとは思っていない」

圭鷹は半ば強引に鈴霞を抱き上げ、牀榻に座らせた。

「君が栄宵麗じゃないことは、ずいぶん前から知っていた」

衝撃に胸を貫かれ、視線を上げた。圭鷹は苦笑している。

「いつからかと言えば、水雅を追いかけていた君を見たときからだ。明らかに様子がおかしかった。噂《うわさ》に聞いていた栄宵麗とは、まるで違ったから」

思い出し笑いをするように肩を揺らす。

「元気よく走っていたな。水雅がものすごい勢いで逃げていた」

「……おいしそうな鵞鳥《がちょう》だったから、体が勝手に動いて」

「君は根っからの料理人だからな。食材を見る目で馬に近づいて蹴《け》られるほどだ」

圭鷹は怒りをあらわにする様子もなく、愉快そうに笑っている。

「……私の本当の名前も、ご存じなんですか」

消え入りそうな声で尋ねると、圭鷹が隣に腰をおろした。

「鈴霞だ」

温かい声音《こわね》に名前をつむがれ、喉《のど》が熱くなった。変な気持ちだ。自分の名前は、こんなに綺《き》麗《れい》な響きだっただろうか。詩を詠《よ》むような彼の声がそう思わせるのか。

「……どうしてもっと早く知っているとおっしゃらなかったんですか」

「本物の栄宵麗が見つかってから君に話を聞こうと思っていたんだ。どうやら彼女は駆け落ちしている。入宮がいやで、邸《やしき》の使用人と逃げたらしい」

栄家の主人が「妹は攫《さら》われた」と言ったのは、駆け落ちというと外聞が悪いからだ。

「私のこと……怒っていらっしゃるでしょう」

泣き顔を隠すようにうなだれていると、圭鷹が鈴霞の結い髪から簪を引き抜いた。

「怒っていると言えば、君はどうするんだ？」

「……謝って、償いをします」

「この状況で償いなどという単語を出すのは、賢明ではないな」

二本、三本、四本……簪を引き抜かれるたび、髪が解けていく。

簪がなくなると、今度は髪を一まとめにして右肩に流され、首飾りを外された。鈴霞はされるままになっていた。身軽になっていくにつれて罪悪感が重量を増していく。圭鷹は両方の耳飾りも外してくれた。硬い指先で耳朶に触れられると、くすぐったいような感じがする。

「櫛《くし》がないから髪を梳《くしけず》ってやれないな。明日、持ってくるように後宮警吏《こうきゅうけいり》に言っておく。着替えは自分でできるな？　さすがに私が手伝うわけにはいかないから……」

鈴霞は牀榻から離れようとした圭鷹の袖をつかんだ。

「償いをさせてください」

「……そういう不用意な発言は」

「手始めに掃除しますね。殿下に埃っぽい部屋で休んでいただくわけにはいかないわ。埃を外に掃き出して床を拭き上げて……あ、まず着替えなきゃ。綺麗な衣装を汚したくないし」

鈴霞は帯を解こうとした。ところが、どこをどう間違えたのか結び目が絡まってしまう。まごまごしていると、圭鷹がいとも簡単に解いてくれた。

「掃除はしなくていいから、早く休みなさい」

「だめですよ。殿下に償いをしないと気が済まないんです」

後ろを向いて上襦を脱ぎ、内衣《したぎ》姿になったとき、圭鷹に抱きしめられた。

「償いたいなら、一生私のそばにいなさい」

首筋にかかった吐息が熱くて、鈴霞は縮こまった。

いずれ皇位につく圭鷹。彼もまた父帝《ちちてい》のように大勢の宮女を後宮に迎えるだろう。鈴霞はその中の一人になるのか。何の後ろ盾もなく、料理以外に取り柄もないのに。

怖いと思った。彼に愛されることが。一度、甘い夢を見たら最後、死ぬまで後宮に囚われる。たとえ、途中で寵愛《ちょうあい》を失っても、誰も訪ねてこなくなっても、どこへも行けない。

不安で、心許《こころもと》なくて、だから一歩を踏み出せない。本当はずっと前から圭鷹に惹《ひ》かれているけれど、口に出せない。言葉にしてしまえば、後戻りできなくなりそうで。

どうしていいか分からずに黙っていると、圭鷹が体を離した。

「……今のは忘れてくれ。君が欲しいばかりに、どうかしていた」

圭鷹は牀榻からおりた。棚や抽斗《ひきだし》をあさる音がする。

「掃除をするなら手伝おう。箒《ほうき》くらい、どこかにあるはずだが……。ああ、償いのことは気にしなくていい。君は栄家に脅《おど》されて身代わりになったんだし、十分反省している。事を荒立てるつもりはない。できるだけ穏便に収めて、天仙飯庄に戻れるよう手を打っておく」

箒を見つけたぞ、と圭鷹は似つかわしくないほど明るい口調で言った。

（……殿下は嘘つきだわ）

彼は好きなように鈴霞を罰することができる。彼にはその権限も理由もある。それなのに、そうしない。自分の感情を後回しにして、鈴霞を思いやってくれる。

「箒とは使いにくいんだな。ふにゃふにゃして埃なんか集められないじゃないか」

窓を開けて床を掃きながら、圭鷹はぶつぶつ文句を言っている。

「こんなものでは端女《はしため》たちも掃除が大変だろう。箒の質を向上させる必要があるな」

「……殿下、それ、箒じゃなくてはたきです」

振り返ってみると、圭鷹がはたきを持ってやりにくそうに掃き掃除をしていた。

「はたきとは何だ？　掃除道具じゃないのか？」

小首をかしげる。鈴霞は上襦を肩にかけて牀榻からおりた。

「こうやって、高いところの埃を払い落すのに使うんです」

はたきで棚の上の埃を払ってみせると、圭鷹は感心したふうにうなずいた。

「なかなか使えるな。貸してくれ。やってみる」

「待ってください。布で口元を覆《おお》わないと、埃を吸いこみますよ」

鈴霞は手巾を出して、圭鷹の口元にあてがおうとした。とたん、雨に打たれたように視界が歪み、動きが止まる。心が焼けるようで、表情が儚《はかな》く崩れた。

「お願いですから……私に思いっきりひどいことをしてください……」

――ずっと騙されたふりをしていてくれた。

「力いっぱい頭突きするとか、朝まで鵞鳥のまねをさせるとか、十日間ご飯抜きとか……」

――鈴霞が偽物の花嫁だと知りながら、優しくしてくれた。

「何でもいいから、ひどいこととしてください。私が、殿下のこと嫌いになれるように……」

――嘘をついていたことを咎《とが》めはしないと、天仙飯庄に戻れるようにすると言ってくれた。

「殿下を……嫌いになりたいんです。だって、あなたのこと好きでいても、しょうがないでしょう？　私、貴族の生まれじゃないんです。殿下の後宮に入っても、一番下の宮女にしかなれません。豪華な衣装も、妃嬪《ひひん》の位も、欲しくないけど、一番下の宮女だったら、殿下に会いたいときに会いにいけないし、一緒に料理なんてできないし、食事だって別々で……」

手紙も送れない。宴《うたげ》で会っても話しかけられない。回廊《かいろう》で見かけても素通りされるだけ。

今までは「栄妃」という偽物の身分があったから彼の近くにいられた。それがなくなってしまえば、圭鷹と鈴霞の身分は天と地ほど差が開いてしまう。

宴席で彼の隣に座るのは正妃だ。その周囲には高位の夫人が座る。鈴霞の席はどこだろう。きっと廊下の隅っこだ。圭鷹の衣装の色も見えない場所が鈴霞の居場所になる。

例えばその日、自分にとって最高の装いをしているとしても、圭鷹には見てもらえない。彼のそばには鈴霞の何百倍も華麗《かれい》な衣を着た見目麗《みめうるわ》しい妻妾《さいしょう》たちがいる。彼女たちに比べれば鈴霞なんて泥のついた石ころみたいにつまらなくて、彼の視界にすら入らない。

「……そういうの、いやなんです。仕方ないことだとは分かるけど、でも……。だったらいっそ、殿下を嫌いになって皇宮から出ていきたいです。だから、お願いですから……」

「分かった」

圭鷹は溜息まじりに言った。開け放された窓の向こうで寂しそうな月が光っている。

「君にひどいことをしよう」

ごめんなさい、と鈴霞はつぶやいた。彼は鈴霞の自分勝手な願いにも真摯《しんし》に応えてくれる。申し訳ない気持ちでいっぱいだった。圭鷹にいやな役をやらせてしまうのは気が咎める。

頬《ほお》に手を添えられ、顔を上げられた。視界が翳《かげ》り、額と額がこつんと重なる。

「……何ですか、これ」

「頭突きだ」

圭鷹は大真面目《おおまじめ》に答えた。

「これが、私が君にできる精いっぱいの『ひどいこと』なんだ」

額を重ねたまま名前を呼ばれ、鈴霞は「はい」と返した。

あと何回呼んでもらえるか分からないから、耳に焼きつけておかなければ。

「身分のことは心配いらない。栄家を脅して君を栄宵麗として嫁《とつ》がせるようにするから。栄家も下手《へた》に騒いで痛い腹を探られたくないはずだ。必ず応じる」

圭鷹は額を離して瞳をのぞきこんできた。

「だからどうか、私のもとに留まってくれないか。私には君が必要だ」

熱情を隠さない眼差《まなざ》しに囚われて、瞬きもできない。

「……でも、栄宵麗のままってことは、この先もずっと嘘をつくってことですよね？」

「そうだ。婚礼までの期限付きではない。死ぬまで貫き通す嘘だ」

ずっしりとのしかかってくる言葉。けれど、と彼は続ける。

「今度は君一人に背負わせない。私も一緒に嘘をつく」

彼の瞳に映る鈴霞は、途方に暮れたようにぼんやりしていた。

「鈴霞、私の共犯者になってくれないか」

音を立てて心が揺れた。月明かりが目に染みて、体のどこかが痛い。

「……共犯者なら、すでになってますよ。私たち、主上暗殺未遂《みすい》の疑いがかかってますから」

「そうだったな。軟禁《なんきん》されているんだった」

圭鷹は力が抜けたように笑う。

「さて、掃除の続きでもするか。箒を探さないと……ん？　どうした？」

鈴霞は彼の袖をつかんで引きとめた。視線が合うと熱い想いに胸を貫かれる。

もはや手遅れだ。後戻りできない場所まで来ている。自分だけ逃げ出せると思っていたのか。

いたるところに落とし穴が仕掛けられた、この皇宮に彼を残して。

「誓ってください。私を裏切らないって」

明日のことも分からないのに、未来のことなど誰が保証できる？

「私はあなたを裏切りません。そのために大事な何かを犠牲にするとしても」

言葉は確かなものではないと知っている。だが、誓わずにはいられない。

「同じことを求めてもいいですか」

芙羅《ふら》の気持ちが分かった。彼女の怯《おび》えがひしひしと感じられた。怖くて膝が笑いそうになりつつも、覚悟を決めた。我が身を後回しにしがちなこの人と、ともに進んでいこうと。

「君を裏切らないと誓おう」

圭鷹は鈴霞の手を取って、自分の左胸にあてがった。

「その証《あかし》として、私の心を君に捧げる」

掌《てのひら》で感じる力強い鼓動が不安を打ち払ってくれるかのようだ。

月明かりを遮《さえぎ》られ、唇が重ねられる。瞼《まぶた》の裏に広がる暗がりはほのかに温かかった。


翌朝、鈴霞は後宮警吏《こうきゆうけいり》が届けに来た朝餉《あさげ》を食卓に並べて、圭鷹を起こしにいった。

「おはようございます、殿下」

昨夜は二人とも牀榻《しんだい》で寝た。圭鷹が抱きしめてくるから、どきどきしてちっとも眠れなかったのだけれど。おかげで寝不足だったが、彼のほうはぐっすり寝ていた。

「おはよう、鈴霞」

圭鷹が重そうに瞼を上げた。朝日越しにこちらを見やり、眠たげに微笑《ほほえ》む。

「君に起こしてもらえるなんて、今日は人生で最も素晴らしい日だな」

長い髪が褥《しとね》に散らばっている。休む前、鈴霞が解いてあげたのだ。

（……お互いの髪を解き合うなんて、まるで本物の夫婦みたいね）

遠からず「まるで」ではなくなる。そのことを思うと、火がつくように頰が赤らんだ。

「顔が赤いぞ。熱でもあるんじゃないか？」

圭鷹が起き上がって額に触ってきた。心配そうに頰に触られ、ますます顔が火照《ほて》る。

「ね、熱なんかないですよっ。早く朝餉にしましょう」

洗面の支度《したく》をしてあげるのも、着替えを手伝うのも、髪を結ってあげるのも初めてだ。緊張気味の手つきで結ったので、髻《もとどり》が少し斜めになってしまったが、彼は喜んでくれた。

「明日は早起きして、君の髪を結ってあげよう」

抱き寄せられ、口づけされると、鈴霞は恥ずかしくて頭から湯気が出そうになった。

「……く、口づけって、朝からしても、いいんですか……」

「誰が口づけは夜だけと決めた？」

「……だっ、だって、恥ずかしいでしょ。こんな、明るいところで……」

格子窓《こうしまど》を通して入ってくる朝日に、のぞき見されているみたいだ。

（昨夜だって、恥ずかしかったけど）

牀榻に入ってからも圭鷹が口づけをやめてくれないから、心臓が壊れそうだった。

「明るいほうがいい。恥じらう君を愛《め》でられる」

火照った頰に掌をあてがわれ、甘いぬくもりに何度も唇をふさがれた。やんわり逃げようとすると、腰に腕を回されて逃げられなくなる。

「……あ、あの、お腹すいてるでしょう？　朝餉を……」

「朝餉より、君を味わいたい」

また唇をふさがれる。重なる熱に力を奪われて、抗《あらが》うことができなかった。


「そういえば、二人で朝餉を食べるのも初めてですね」

方卓《ほうたく》に向かい合って座ると、どちらともなく笑みがこぼれた。

後宮警吏が持ってきた料理は、細切り羊肉と枸杞《くこ》の葉で炊《た》いた粥《かゆ》、干し筍《たけのこ》と冬瓜《とうがん》の清湯《スープ》、凍《ね》り豆腐と茄子《なす》の海老《えび》油炒め、青菜の芥子《からし》和《あ》え、紅棗《べになつめ》の蒸糕《カステラ》。

異国から船で運ばれてくる海鼠《なまこ》、鱶鰭《ふかひれ》、干し鮑《あわび》。古くから珍重される燕窩《つばめのす》、上質な火腿《ハム》や新鮮な蟹《かに》などの高級食材こそ使われていないものの、虜囚《りょしゅう》の朝餉としては上等な部類だ。

「婚礼後は夫婦そろって朝餉の席につくのが普通だが、軟禁を言い渡されたおかげで一足先に経験できるわけだ。父上に感謝だな」

「軟禁って響きにびくびくしましたけど、ここなら東宮より暮らしやすいかもしれません」

鈴霞は枸杞の葉の粥を青磁《せいじ》の碗《わん》によそって、圭鷹に渡した。

「でも、英静皇子は大丈夫でしょうか。体が弱い方ですし……」

「父上が太医《たいい》たちを総動員して治療させているだろう」

「英静皇子も運が悪いですね。主上を狙った毒にあたってしまうなんて」

「いや、父上を狙った毒ではない」

圭鷹は自ら茶杯に茶を注いだ。鈴霞の分も淹《い》れてくれる。

「四人の毒見役は吐き気程度で済んだのに、英静は大量の血を吐いた。英静が病弱であることを差し引いても、毒の効き目に差がありすぎる」

「だけど、毒が盛られていたのは羊肉の煮込みだけでしょ？」

「後宮警吏は料理のみを調べたが、料理以外にも英静が口にしたものがある」

「お酒？　お茶？」

「英静は酒をたしなまないし、茶も控えるように太医に言われている」

「じゃあ、何が……あっ、薬湯！」

鈴霞は英静が食後に薬湯を飲んでいたことを思い出した。

「薬湯も毒見役が毒見することになっている。もし、薬湯に毒が入っていたら、四人の毒見役は全員、血を吐いていたはず。だが、四人が訴えた不調は軽い吐き気だけだ」

「四人が毒見したときは、鬼哭珠《きこくしゅ》は入っていなかった？」

「最も疑わしいのは四番目の毒見役だな」

「そういえば、呉皇后も毒見役に毒を盛られたんでしたね。だけど、四番目の毒見役も吐き気で済んでるから……自分が毒見した後で鬼哭珠を入れたのかしら」

自分の碗にもよそい、枸杞の葉の彩鮮やかな粥を匙《さじ》ですくって口に運ぼうとする。

そのとき、圭鷹がこちらに手を伸ばしてきた。荒っぽく鈴霞の匙を奪う。

「もう何ですか、いきなり。あーあ、袖が汚れちゃったじゃないですか」

冷めているから火傷《やけど》はしなかったが、食べ物を無駄にしてしまったのが悲しい。

「毒入りだ」

圭鷹は誰かに聞かれるのを憚《はばか》るように声を落とした。

「この粥には鬼哭珠が入っている」


毒が入っていたのは粥だけではなかった。

「これもだ。わずかだが、辣椒《とうがらし》のような臭いがする」

圭鷹は紅棗《べになつめ》の蒸糕《カステラ》の匂《にお》いを嗅いで皿を食卓に置いた。

「全部、毒入り!?　ってことは、何も食べられないじゃないですか」

お腹すいてるのに、と唇を突き出す。朝から水しか飲んでいない。

「問題は空腹だけじゃない。誰が毒を盛ったのかということだ」

難しい顔で方卓に頬杖《ほおづえ》をつき、圭鷹は独り言のようにつぶやいた。

「……父上かもしれないな」

「ええっ!?　主上が殿下に毒を……!?」

「あくまで可能性の一つだ。父上は英静を溺愛《できあい》なさっている。最愛の英静に毒を盛った私に激怒なさっているだろう。『死をもって償え』と仰《おお》せなのかもしれない」

「で、でも、疑いがかかってるだけですよ？　それに殿下は大事なお世継ぎでしょう。いくら主上が英静皇子を溺愛なさっているとしても、さすがに……」

「ないとは言い切れないのが悩ましいところだ」

圭鷹は苦々しく溜息をついた。

「英静のこととなると、父上は賢君とは言い難いことをなさることがある。去年のように、分別を失っていらっしゃらないといいが……」

あくまで可能性の一つ。ならば、別の可能性でいえば、誰が疑わしいのだろう？

「食事に毒が盛られている以上、ここにはいられない」

圭鷹は部屋の隅に置かれている壺《つぼ》に毒入りの粥を捨てた。

「今晩、暗くなったら抜け出そう」

「東宮に帰るんですか？」

「いや、ここから東宮は遠すぎる。おまけに東宮では私たちが犯人だという証拠を見つけるために、後宮警吏が家捜ししているだろうから近づけない」

「東宮じゃないなら、どこに？　あ、登原王《とうげんおう》のところですか？」

青膳房に頻繁《ひんぱん》に出入りしていた猟月も疑いをかけられており、王府に戻ることを禁じられ、生母である程昭儀《ていしょうぎ》の殿舎に足止めされている。

「兄上も疑われている。頼られても、兄上としてもどうしようもないだろう」

「だったら、恒春宮に行きましょう」

圭鷹の生母である呉皇后なら、助けてくれるだろう。

「母上はだめだ。いざとなったら父上の味方をなさるから」

何かと決別するようにきっぱりと言い切り、圭鷹は振り返った。

「行先は一つしかない」


夕日が西の空に隠れてしまった後で、圭鷹は部屋から出た。

外では四人の後宮警吏たちが見張りをしている。「まだ夕餉《ゆうげ》は来ないのか」と彼らに話しかける圭鷹の声が聞こえたかと思うと、人を殴《なぐ》りつけるような鈍い音が数回響いた。

圭鷹がぐったりした彼らを縛《しば》り上げるので、鈴霞も手伝った。昨夜の衣装を短刀で裂いて縄代わりに使える布をたくさん作っておいたのだ。

「いよいよ共犯者ですね、私たち」

「父上のご命令に背いて逃亡を図るんだぞ。一蓮托生《いちれんたくしょう》だ」

二人がかりで四人を縛り上げ、門房《ものおき》に閉じこめた。

明かりを持たず、二人は朱鳥殿をあとにした。昨夜同様、今日は月夜だ。提灯《ちょうちん》がなくても足元ははっきり見える。朱塗りの壁に左右を囲まれた石畳《いしだたみ》の通路を早足で進んでいく。

「疑問なんですけど、英静皇子を害して得する人っているんですか」

圭鷹に手を引かれて先を急ぎつつ、鈴霞は小声で問う。

「失礼な言い方かもしれませんが、英静皇子は世継ぎではないし、皇位争いからも遠ざかっていた人でしょ？　主上や殿下ならともかく、どうして殺意を向けるんです？」

あけすけな言い方をしてしまえば、命を狙われるほどの重要人物とは思えない。

「何の得もなくても、人は人を殺《あや》めるものだ」

「損得勘定《かんじょう》じゃないなら、英静皇子のことを嫌っている誰かとか？」

「……あるいは恨んでいる誰か、だな」

圭鷹は肩を強張《こわば》らせた。鈴霞の手を引き、石灯籠《いしどうろう》の後ろに隠れる。

「誰か来る。物音を立てないように」

石灯籠が等間隔に並ぶ通路には十字に交わる部分がある。十字路の向こう側から、提灯がゆらゆら揺れながらやってくるのが見えた。提灯がひとりでに歩くわけはないから、誰かがこちらへ来るのだ。息を殺していると、人影がだんだん近づいてきた。長身の男だ。顔は――見えない。頭巾で顔を隠した異様な男だ。鈴霞は圭鷹の背に隠れて彼の衣を握りしめた。

「央順」

圭鷹が声をかけると、男は立ち止まった。

「……殿下、栄妃様」

聞き覚えのあるしゃがれた声。提灯を持ちあげてこちらを見ているのは、央順だった。

「今から朱鳥殿をお訪ねしようとしていたんです。ご無事ですか？　お怪我《けが》などは」

「ない。それより、君は？　問題なさそうに見えるが」

「あっ、後宮警吏に捕まって拷問《ごうもん》されたって聞きましたけど、大丈夫ですか？」

両足でしっかり立っているし、足腰が立たなくなるまで殴られたわけではなさそうだ。

「私は何とも。拷問官が手加減してくれましたので。これも殿下のおかげです」

後宮警吏には圭鷹の配下がおり、央順の取り調べに手心を加えたそうだ。

「朱鳥殿に鬼哭珠入りの食事が届けられた。今から秋恩宮《しゅうおんきゅう》に行って匿《かくま》ってもらう」

「殿下のところにも鬼哭珠が……」

「私のところにも？　他には誰が毒を盛られたんだ？」

央順は周囲に誰もいないことを確認してから、圭鷹に耳打ちした。

「呂守王《ろしゅおう》です。昼餉に鬼哭珠が……」

氷希も猟月同様、生母の殿舎に足止めされていたはずだ。

「無事なのか？」

「多量に血を吐かれたので、重症だろうと宦官《かんがん》たちが噂《うわさ》していました」

これで毒を盛られたのは呉皇后、英静、圭鷹と鈴霞、氷希ということになる。

「……とにかく秋恩宮へ急ごう」

圭鷹が手を引っ張るので、鈴霞は彼についていった。


二人は秋恩宮の客間に通された。金漆塗《きんうるし》りの宮灯《きゅうとう》が辺りを照らしている。雉《きじ》の尾羽の宮扇《きゅうせん》が左右に立てられた宝座《ほうざ》には、渋い顔をした班太后《はんたいこう》が座っていた。

紅珊瑚《べにさんご》がちりばめられた金鳳釵《きんぼうさい》、銀線《ぎんせん》を編み上げて作られた爪飾り、瑠璃《るり》と琥珀《こはく》を連ねた首飾り。高位の皇族にしか許されない龍鳳紋《りゅうほうもん》に加え、黒地に吉祥を表す八宝八仙紋《はっぽうはっせん》が織り表された金襴《きんらん》の衣装は、いかめしい面持《おも》ちの班太后をいっそう近寄りがたく見せていた。

「そなたは主上のご命令で軟禁《なんきん》されていたはず。どうしてここに来たのです？」

拝礼しようとした圭鷹に挨拶《あいさつ》は不要と言って、班太后が問いかける。

圭鷹は朱鳥殿に毒入りの食事が届けられたことを話した。

「死をもって償えと主上は仰せなのかもしれません。もし疑惑が事実であれば、謹《つつし》んで従いましょう。ですが、まったくの濡れ衣なのです。私も栄妃も、毒など盛っていません。なぜ鬼哭珠が青膳房から見つかったのか、見当もつかないのです。せめて一度なりとも弁明の機会を与えていただきたい。どうか祖母上、主上にお口添えをお願いいたします」

圭鷹が床に膝立ちになって深々と頭《こうべ》を垂れる。鈴霞も彼に倣《なら》った。

「妾《わらわ》はとうに隠居《いんきょ》した身です。面倒事に巻きこまないでほしいわね」

班太后の返事はすげない。鈴霞は焦りを感じた。秋恩宮から追い出されたら、後宮警吏《こうきゆうけいり》に捕まるだけだ。何とかして、班太后に匿ってもらわなくては。

「もし夕餉がお済みでないなら、何かお作りいたしますわ」

鈴霞は控えめに面《おもて》を上げて微笑《ほほえ》んだ。

「豚肉の桜桃煮《おうとうに》など、久しぶりにいかがでしょうか」

「結構です。近頃、蒸し暑い日が続くので、肉類は体が受けつけません」

ぴしりと突き返されてしまった。うなだれた後で、はっとして視線を上げる。

「では、豆腐皮《ゆば》のお吸い物はいかがですか。さっぱりした口当たりで暑さも忘れるかと」

そうですね、と班太后は退屈そうに翡翠《ひすい》の念珠《ねんじゆ》をいじっている。

「本音を言えば、唐仲来《とうちゆうらい》が作った豆腐皮の吸い物を食べたいけれど……仕方ありませんね。そなたが作ったもので我慢しましょう」

笑みを堪《こら》えながら、「すぐにご用意いたします」と鈴霞は恭《うやうや》しく礼を取った。

鈴霞の退出後、圭鷹は父帝《ちちてい》へのとりなしを再度頼み、班太后に聞き入れられた。

父帝に表舞台から締め出されて鬱憤《うつぷん》を募《つの》らせていた祖母なら、喜んで事件に干渉してくるだろうと踏んでいたが、読み通りだったようだ。

「後宮警吏が来たら追い払ってあげますから、しばらく栄妃とここにいなさい」

　祖母は女官に手を取られて、宝座から立ち上がった。

「主上は慈晶殿に籠《こも》って英静の枕辺《まくらべ》を離れないそうです。今、そなたが出ていっても、弁明を聞く余裕はないでしょう。容体が落ちつくまで待ちなさい」

「英静は重症なのでしょうね」

「生まれつき体の弱い子ですからね。治療中に何度か吐血したとか。主上は大変な慌てようで、太医《たいい》たちが総動員されているそうですよ」

「氷希も毒で倒れたと聞きましたが、治療は受けられているのでしょうか」

　後回しにされているのでは、と言外に匂《にお》わせると、祖母は長い溜息をついた。

「氷希には見習いがつけられているようです。それも女の医者とかで、あまりに頼りないので、妾の主治医を向かわせました。大事ないといいですが」

　圭鷹は祖母の手を取って、食堂に向かった。

「主上の偏愛ぶりにも困ったものです。いくら病弱だからとはいえ、英静と他の皇子たちの扱いに差をつけすぎています。それもこれも、先帝の妃嬪《ひひん》にたぶらかされたことが原因で……」

　祖母は先帝の妃嬪でありながら父帝に愛された方柔妃のことを蛇蝎《だかつ》のごとく嫌っている。

　方柔妃が遺《のこ》した英静にも悪感情を持っているようだ。父帝のような特別扱いをしないばかりか、皇子の務めも果たせない役立たずと言い捨てることさえあった。

食堂で鈴霞が用意した夕餉を祖母と囲んだ。血の晩餐《ばんさん》から一晩しか経っていないのに、久しぶりに彼女の料理を食べたような気がする。

「昨日の晩餐で使われた食器は、まだ片付けられていないだろうな？」

夕餉を済ませてから別室で一息つき、圭鷹は央順に尋ねた。

「はい、後宮警吏がそのまま残しています」

圭鷹は配下の後宮警吏への指示を央順にたくした。

まず、薬湯が入っていた茶杯《ゆのみ》に鬼哭珠《きこくしゅ》が残っていないか調べること。残っていれば、四番目に毒見をした毒見役を取り調べること。それから、朱鳥殿の食事を用意した料理人と食事を運んだ後宮警吏を尋問すること。誰かに頼まれて毒を盛ったはずだ。金をもらったにしろ、脅《おど》されたにしろ、尋問すれば何か話すかもしれない。


翌日の昼時、央順は猟月を連れて戻ってきた。

秋恩宮の厨房《ちゅうぼう》で鈴霞の手伝いをしている最中だ。せっかくうまくいっていた芋《いも》の皮むきを中断させられ、圭鷹は不機嫌になった。

「なんで兄上まで来たんだ？」

「何だよ、その言い草は。逃亡中の弟を励《はげ》ましに来てやったっていうのに」

などと言いながら、猟月は湯気を上げる蒸籠《せいろ》に駆け寄った。鈴霞がふたを開けると、「うまそうだなあ！」と子どものように目を輝かせる。

「俺のところにも鬼哭珠入りの食事が来たぞ」

猟月は蒸したての包子《まんじゅう》を頬張《ほおば》った。鶏肉、豚肉、筍《たけのこ》、海老《えび》、海鼠《なまこ》と五種類の具材をふんだんに使っており、肉と海鮮のうまみをいっぺんに味わえる贅沢《ぜいたく》な一品だ。

「昨日の夕餉が毒入りだったんだ。毒見させる前に気づいたから、被害は出てないけどさ」

もぐもぐと口を動かしながら、猟月は包子を数個、食盒《じゅうばこ》に入れた。程昭儀の分だそうだ。

「後宮警吏によれば、英静皇子の薬湯に鬼哭珠が入っていたことは間違いないそうです」

茶杯に鬼哭珠が残っていた、と央順は報告した。

「四番目の毒見役は尋問されていますが、自分は毒など入れていないと証言しています」

朱鳥殿の食事を用意した料理人と、食事を運んだ後宮警吏は、大金と引きかえに毒を盛ったとあっさり白状した。しかし、毒を渡した人間は頭巾で顔を隠していたという。

「本当に後宮って怖いところですね」

圭鷹が味見と称して包子を頬張っていると、鈴霞が肩をすぼめて言った。程昭儀のために、ごま油と米酢で和えた蒸し茄子を器に盛り、食盒に詰めている。

「こんなに毒を盛られる事件が多発するなんて。おちおちご飯も食べられないじゃないですか」

「後宮というより、皇宮はそうなんだ。毒殺なんて珍しくもない」

「それはそうでしょうけど、今回の事件は全部、後宮内で起こってるでしょ。呉皇后から始まって、登原王で五回目。しかも英静皇子からはたて続けですもの。怖いですよ」

鈴霞が食盒のふたを閉める。圭鷹はしばし黙りこんだ。

（……犯人は後宮から出ていない）

出ていない？　もしくは……出られない？

「ところで、鬼哭珠ってそんなに一般的な毒なんですか。聞いたことないですけど」

「いや。かなり値が張る毒だからな。ほんの一つまみ分で栄妃の簪《かんざし》一本の値段だ」

猟月が二個目の包子に手を伸ばす。

「そもそも鬼哭珠ってのは薬効があるってことで凱《がい》に持ちこまれたんだが、薬として使うには毒性が強すぎる上、毒性を取り除くのが難しすぎるらしいんだよな」

「毒として使うのも難しいと聞く」

放っておくと猟月に食べ尽されてしまいそうなので、圭鷹も二個目の包子を手に取った。

「調合する手順が煩雑《はんざつ》で、少し間違えただけで毒性が打ち消される。たとえ成功しても調合してから三日以内に使わないと意味がない。四日目には塩になってしまうから」

「塩？」

「厳密にいえば、塩もどきだな。好き好んで料理に使うやつもいるぞ。独特の風味があるとかなんとか言う食通もいるが、俺はそんな塩もどき、食いたくないね」

「独特の風味って、どんな感じでしょう。後学のためにお聞きしたいです」

鈴霞が興味津々《しんしん》で猟月に詰め寄る。その隙《すき》に、央順が蒸籠から包子を一つくすねた。

（……三日以内）

英静に使われた鬼哭珠が当日調合されたものなら、毒性は今日まで残っている。

「殿下？　おいしくなかったですか？」

圭鷹が食べかけの包子を置いて調理台から離れるので、鈴霞が落胆《らくたん》したふうに言った。

「うまいから、あとでゆっくり食べるよ。取っておいてくれ。――央順」

央順を連れて厨房を出る。配下の後宮警吏に連絡を取るよう命じて、送り出した。

（……何の得もなくても、人は人を殺《あや》めるものだ）

今日は七月二十日。二年前、恵兆王の長女・緋雪の婚礼が執《と》り行われた日だ。


「……父上……」

今にも消え入りそうな声音《こわね》で呼ばれ、嵐快《らんかい》ははっとして瞼《まぶた》を上げた。いつの間にか、英静の枕辺でうとうとしていたようだ。二日前から一睡もしていなかったのだから無理もない。

「目が覚めたのか？　父上はここにいるぞ」

女のようなほっそりした手を握る。剣を持ったことがない白くたおやかな手。それは亡き寵《ちょう》妃《ひ》のものと瓜二《うりふた》つで、否応《いやおう》なしに方柔妃が死んだ日の記憶を呼び覚ました。

あの日、嵐快が朝議を中断して駆けつけたとき、方柔妃はすでに息を引き取っていた。ほのかにぬくもりが残る白い手にすがって泣き崩れたのは、もう十八年も前のことなのだ。

（……また喪《うしな》うのか）

鬼哭珠の作用で英静の容貌《ようぼう》は煮え湯を浴びたように爛《ただ》れていた。太医によれば、喉《のど》の内部も爛れており、呼吸をするたびに喉を引き裂かれるような痛みを味わっているという。

何としても助けろと命じたが、太医たちは震え上がって「手の施しようがございません」とほざくのみ。口にした毒の量が多すぎた。もはや虫の息で、日没まで命がもつかどうか分からないと。太医院の名医たちをもってしても手遅れだというのだ。

ぬるい風とともに、開け放たれた格子窓から傾きかけた夕日が入りこんでくる。

「窓を閉めろ！　明かりを灯せ！」

夕日を締め出せば、息子の命をつなぎとめられるとでもいうように怒鳴りつける。宦官たちが慌てて窓を閉め、蠟燭《ろうそく》に火を灯すと、臥室《しんしつ》の空気は蒸し暑さで重量を増した。

「父上……。どうか、休んでください」

激痛のためか、英静が瞳を潤ませて見上げてくる。

「一昨日から、何も召し上がっていないでしょう……。せめてお食事をなさらないと」

自分は死の苦しみを味わっているというのに、英静は父親を気遣う。

「余《よ》は大丈夫だ。おまえのそばにいれば元気でいられる」

「でも、この暑さなのに……水も飲んでいらっしゃらない……。心配です……」

英静を喪うかと思えば、食事も水も喉を通らないのだ。

「余のことはいいから、何か欲しいものはないか？　見たいもの、食べたいもの……ああ、明杏を呼ぼうか。仲良くしていたからな。声を聞けば気も紛《まぎ》れる。それか――」

「緋雪をください」

地を這《は》うような言葉が耳をつんざいた。

「僕は緋雪が欲しいんです緋雪が欲しいんです緋雪が欲しいんです緋雪が緋雪が緋雪……」

何かに憑《つ》かれたように繰り返し、白魚のような手で嵐快の手を握りしめる。

「緋雪緋雪緋雪……僕の花嫁、僕の僕僕の僕のの花、花嫁……」

「……落ちつきなさい」

爪が皮膚《ひふ》に食いこむほど握りしめてくる手に、もう片方の手を重ねる。

「緋雪はもういないんだ。あれは悲しい事故だった。太医が薬を間違えて」

「――そんな嘘でいったい誰を騙しているおつもりですか、父上」

衝立《ついたて》の陰から、圭鷹が現れた。呉氏に産ませた皇子。有能で物分かりがよく、世継ぎとして期待していたが、息子として愛情は感じない。我ながら非情だとは思うが、男女間にしろ親子間にしろ、愛情とは努力だけで作り出せるものではない。

「なぜここに来た？　おまえは軟禁《なんきん》されていたはずだぞ。勝手に――」

「緋雪を殺したのは英静だ」

圭鷹は燭台《しょくだい》のそばで立ち止まり、死にかけた弟とその父親を見やった。

「一年前、恒春宮に来ていた緋雪に、父上の名で睡蓮《すいれん》の酥餅《パイ》が届けられた。それは鬼哭珠入りの酥餅だった。英静が父上の名を騙《かた》って届けさせたものだ」

父に逆らったことのない次男とは思えない、刺々《とげとげ》しい口ぶりだった。

「あのとき、英静の罪を明らかにして断罪するべきでした。しかし、父上は英静が緋雪を毒殺したことは他言無用とおっしゃった。緋雪は英静の毒で死んだのではなく、太医が薬を間違えたために命を落としたということになさった」

だが、緋雪の父親である兄の目はごまかせなかった。緋雪の亡骸《なきがら》を見て鬼哭珠が原因だと勘付いた兄は、嵐快が必死でもみ消した息子の過ちを引きずり出し、弟を罵倒《ばとう》した。

『英静は恵兆王の娘を殺したんだぞ！　その罪を皇帝として正しく裁け！』

当然の要求に応じなかった嵐快は、兄が宮廷から去るのを止められなかった。

「一年前の失態が今回の事件を引き起こしたんです」

圭鷹は牀榻《しんだい》のそばまで来て、英静の顔をのぞきこんだ。

「英静、晩餐《ばんさん》の席で自分の薬湯に鬼哭珠を入れたな？」

「ばかな！　自ら毒を盛るなど」

「普通ならあり得ない。けれど、父上もご存じの通り、英静は普通ではありません」

圭鷹は英静の頭上で画山水の扇子《せんす》を開いた。英静はたちまち目の色を変える。

「緋雪っ！　緋雪っ、帰って帰って、帰って、帰ってきたんだね緋雪！」

圭鷹の手から扇子をもぎ取り、英静は愛《いと》おしげに胸に抱いた。

「鬼哭珠を薬として長年服用した場合の副作用は、妄想、虚言、幻覚……。その症状はかねてから出ていました。父上も私も気づいていた。でも、見て見ぬふりをしてきたんです。薬としての鬼哭珠は、英静の重い肺病を和《やわ》らげてくれていたから」

見て見ぬふりできなくなったのは二年前からだと、圭鷹は語る。

「緋雪が婚約を報告に来たとき、英静が何をしたか……お忘れではないでしょうね？」

二年前、緋雪は高官の令息と婚約したことを英静に伝えるため、慈晶殿を訪ねた。

そこで事件が起きた。英静は薬を煮出していた大鍋の中に彼女の頭を沈めようとしたのだ。

たまたま同時刻に慈晶殿を訪ねた圭鷹がすんでのところで助けたが、英静は宦官《かんがん》たちが数人がかりで押さえつけなければならないほど興奮していた。

『僕と結婚しないなら、綺麗《きれい》な顔なんていらないでしょう？』

なぜあんなことをしたのかと嵐快が尋ねると、英静は目をぱちくりさせて答えた。

「……鬼哭珠は一年前にやめさせた。内院《なかにわ》に植えられていたものも処分させた」

鬼哭珠は偽菖蒲《にせあやめ》という花の花蕊《かずい》である。英静は薬として服用するために偽菖蒲を内院で育てていた。一年前の事件を機にそれらはすべて焼き払ったはず。

「私もそう思っていましたが、いつの間にか元通りになっていましたよ。父上がお気づきにならないような奥まった場所にたくさん植えられていました」

後宮警吏《こうきゅうけいり》たちと内院を調べてきたと圭鷹は言う。

「……なぜだ？　なぜ自分で自分に毒を盛ったりした？」

嵐快は緋雪緋雪と言いながら扇子を抱きしめる英静に目を向けた。視線がかち合うと、英静の瞳からすっと光が消える。まるで蠟燭を吹き消したように。

「聞きたいのは僕のほうですよ、父上」

扇子を投げ捨て、英静は骨が軋《きし》むような力で嵐快の手をつかんだ。

「どうして緋雪を僕にくださらなかったんですか？　僕が欲しいと言えば、猟月兄上のものでも圭鷹兄上のものでも氷希のものでも、何でもくださったのに。どうして緋雪だけはだめだったんですか？　なぜですか、ねえ父上。どうしてどうしてどうして……」

英静が初めて「緋雪と結婚したい」と言い出したのは、十五の頃。幼い初恋に微笑《ほほえ》ましさを感じつつ、従姉《いとこ》とは結婚できないのだと諭《さと》したが、英静は聞く耳を持たなかった。

緋雪はよく英静を訪ねていたから、間違いが起こるかもしれないと危ぶみ、急いで彼女に似合いの縁談を調えた。いずれは英静にも可愛《かわい》い花嫁を見つけてやるつもりで──。

「大嫌いだ！　父上なんか大嫌いだ！」

英静は白い拳で何度も父の腕を叩き、喉を引きつらせて笑う。

「死ね！　死ね！　父上のものは皆死ね！　呉皇后も、圭鷹兄上も、氷希も、猟月兄上も、そして僕も！　みーんな死ねばいい！　それが報いだ！　僕を怒らせた報いだよ父上！」

嵐快は動けなかった。呼吸さえも忘れていた。

息子がときおり奇妙なことを口走るのには気がついていた。薬の副作用だと、哀れに思っていた。しかしまさか、的外《まとはず》れな恨みで親族殺しを企《くわだ》てるほど、正気を失くしているとは。

――知らなかったわけではないだろう？

二年前、一年前と異様な事件を起こしている。英静が道を踏み外していると知りながら、見逃してきたのだ。我が子の過ちを正すことを恐れて、目をそむけてきたのだ。

なぜなら、英静を裁くことは、自分を裁くことに等しいから。

「呉皇后に毒を盛ったのは、恒春宮の食事を栄妃に用意させるため。御膳房《ごぜんぼう》の食事に毒を盛るのは難しいですからね。御膳房では料理人たちが互いを監視していますし、毒見の回数も両手では足りない。だから最初の事件でも皇后の毒見役をそそのかして毒を盛らせた」

圭鷹は格子窓を開けた。空を焼く夕日が血しぶきのごとく視界に飛び散る。

「晩餐で父上の皿と自分の皿を入れかえ、私が皇帝暗殺を企てたかのように演出したのは、私と兄上と氷希を後宮に足止めするためでしょう。英静は後宮から出られません。私たちが東宮や王府に帰ってしまったら、配下の宦官たちを使っても手出しできなくなる」

まず、英静は料理に毒を盛った。しかし、奈落芋《ならくいも》の作用で毒の効き目が弱かった。

「血を吐いて派手に倒れるために、薬湯に鬼哭珠《きこくしゅ》を仕込んだんですよ。四番目の毒見役が毒見をした後で、自分の手で鬼哭珠を入れたんだ」

圭鷹は牀榻のそばに置いてある水差しをつかみ、窓の外に投げ捨てた。

「そして今日、父上を鬼哭珠で殺すつもりだったな？　二年前、緋雪が嫁《とつ》いだこの日に」

突然、英静が奇声を上げて暴れ出した。宦官たちが駆けつけて押さえつける。

「緋雪！　なんてかわいそうなんだ！　父上の命令で好きでもない男に嫁がされて！」

牀榻が軋《きし》む。誰かの心みたいに。

「嫌いな男の子どもを孕《はら》まされてさぞかし辛《つら》かっただろう！　君の苦しみが僕にはよく分かるよ！　だから救ってあげようとしたんだ！　君の胎《はら》に宿った汚《けが》らわしい赤子を始末してあげたかった！　でも、どうして？　赤子は遺《のこ》って、君はいなくなってしまった……！」

ぴたりと英静の動きが止まる。両の瞳からはらはらと涙が流れた。

「僕は緋雪が欲しかった。赤子なんかいらなかった。なのに、なんで？　ねえ父上、僕はどこで間違えたんでしょう？　どうして緋雪は死んだんでしょう？　誰が殺したんでしょうか？」

忍び寄る日没の光が痛ましく爛《ただ》れた容貌《ようぼう》を焼いていく。

――どこで間違えたんだ？

愛《いと》しい方柔妃が命と引きかえに遺してくれた最愛の息子。掌中《しょうちゅう》の珠として大切に大切に育《はぐく》んできた、ただそれだけなのに。

嵐快は頭を抱えた。刻一刻と英静に迫ってくる死になすすべがない。自分の無力さが両肩にずっしりとのしかかってきた。天子だ主上だと仰《あお》ぎ見られ、黄金の玉座に君臨しながら、我が子一人救えない。最期にほんのわずかな慰めを与えることさえ、できないのだ。

「……余《よ》は父親失格だな」

英静がまた血を吐く。ぽこぽこといやな音を立てて、眦《まなじり》が裂けんばかりに目を見開いて。褥《しとね》が鮮血で赤く染まり、夕焼けと混ざって毒々しい色彩になっていく。

「あなたに父親の資格があるかどうか、人の親になったことがない私には分かりかねます」

圭鷹は死にゆく弟を物のように見下ろしていた。いったいいつからだろうか。罪人にすら情をかける善良すぎる次男が、こんな冷たい目つきをするようになったのは。

（余が望んだことだ）

名君に善人はいない。非情であれ、冷酷であれ。そう言い続けてきた。

「父上は亡霊に憑かれていらっしゃったのではありませんか」

亡霊という言葉で、方柔妃の顔が浮かんだ。心から愛した、唯一無二の女人。先帝の妃嬪《ひひん》を奪う禁忌《きんき》を犯して手に入れた寵妃《ちょうひ》。世の謗りを打ち払うように睦言《むつごと》を囁《ささや》いた相手。

道ならぬ恋の果て、この両手に残ったものは何だ？　洞《うろ》だ。虚《うつ》ろだ。凱王朝の皇帝として天下のすべてを手にしているはずなのに、どうしてこの体はがらんどうなのだろう。

「父上」

息子の声がした。とうとう愛せなかった我が子の声が。

「私は天仙飯庄の鈴霞を栄宵麗として娶《めと》ります」

うなだれていた嵐快が顔を上げると、圭鷹が静かに視線を返した。

「認めてくださいますね？　否とおっしゃるなら、英静が起こした事件を公《おおやけ》にします」

夕日は死んだ。視界を照らすのは、寂しそうな蠟燭《ろうそく》の炎だけ。

「事実を公表すれば、一年前の事件の詳細も恵兆王妃のお耳に入ります。緋雪を殺したのは太《たい》医《い》の誤診ではなく、従弟《いとこ》の英静だったと知って、御心を痛められるでしょう。また臥《ふ》せってしまわれるかもしれません。そのとき、恵兆王の怒りは父上に向かいますよ」

兄弟の不仲をあおる以上に、朝廷はざわつくだろう。皇帝は亡父の妃嬪を奪って子を産ませたが、その息子は父にすら殺意を向ける残忍な人間だったと、口々に非難するだろう。皇帝は人道にそむく邪《よこしま》な恋を天に裁かれたのだと、誰もが嘲笑《あざわら》うだろう。

「父上が憎いわけではありません。今回の件は私にとって好都合なので利用しているのです」

嘘をつくな、と怒鳴りたくなった。

鈴霞の件を認めさせたいというのは本音だろう。圭鷹はあの娘にかなり惚れこんでいた。

しかし、それだけではない。

（……恨みで余を生かそうというのか）

英静を喪《うしな》った嵐快が生きる気力までも失わないように、圭鷹は嵐快を脅《おど》すのだ。父の傷心につけこむ悪辣《あくらつ》な息子を演じて、嵐快が自分を恨むように仕向けている。

（おまえの善心を削《そ》いでやったつもりだったのに）

少しも損《そこ》なわれていない。圭鷹はいつまでも圭鷹のままだ。

それは父として喜ぶべきことなのか、落胆《らくたん》するべきことなのか、まだ分からない。

「偽の妃を娶るなど、天を欺《あざむ》く行為だ。いつか報いを受けるぞ。余のように」

「覚悟の上です」

圭鷹は何ものをも恐れぬ目で父を見つめ返した。

「たとえ何があろうと、あらゆる手段を使って彼女を守り抜きます」

かつての自分が暗がりに立っているかのようだと思い、はたと気づいた。

息子たちの中で、圭鷹は最も嵐快に似ている。方柔妃に出会う前の嵐快に。だからこそ、愛せなかったのだ。誤った恋をしなければこうなっていたぞと責められているようで。

今や、圭鷹も嵐快と同じ過ちを犯した。恋してはならない相手を愛したのだ。

「ならば罪人になるがいい。天網《てんもう》をかいくぐり、余とは違う道を歩んでみせろ」

とうに事切れた英静が死者の瞳で嵐快を見上げている。

これが因果《いんが》だ。邪恋《じゃれん》の報いだ。果たして、圭鷹は逃げきれるだろうか。

「決して父上の轍《てつ》は踏みません」

思ったより好戦的な答えが返ってきて、嵐快は笑った。

息子が天意に抗い通せるかどうか、見届けたいと思った。

おそらくそれは――不可能だろうけれども。


「旦那様、奥方様、天仙飯庄の皆々様、今日まで本当にお世話になりました」

天仙飯庄の店先で、鈴霞は慣れ親しんだ人たちにぺこりと頭を下げた。

「幸せにおなりよ」

ふくふくとした丸顔の夫人が目尻に涙を光らせて鈴霞を抱きしめる。

「嫁《とつ》ぎ先でいじめられたら、いつでも帰っておいで」

「いじめられないように頑張りますが、困ったときは奥方様に相談させてください」

鈴霞は夫人の手をぎゅっと握った。つられて涙ぐんでしまう。

「近くを通りかかったら、遠慮しないで寄りなさい。ご馳走《ちそう》を作ってあげよう」

人の良さそうな主人が鈴霞の肩を叩いた。

「はい！　旦那様のお料理を目当てに帰ってきます！」

元気で、夫婦仲良くね、近いうちにまたおいで。

見送りの言葉に力いっぱい手を振り、鈴霞は軒車《くるま》のそばに立つ圭鷹に駆け寄った。

圭鷹は菊花文様が映える松葉色の長衣《ちょうい》に繻子織《しゅすおり》の外衣《うわぎ》という豪商の若様風のいでたちで、鈴霞は玉簪花《ぎょくしんか》が刺繍《ししゅう》された襦裙《じゅくん》に竜胆の髪飾りという商家の令嬢風の恰好《かっこう》をしていた。

今日は圭鷹が婚礼前に鈴霞の養父母に挨拶《あいさつ》したいというので、二人で天仙飯庄にやってきた。

もちろん、圭鷹が皇太子だということは明かせないから、豪商の令息ということにして、栄家の口利《くちき》きで働いていた邸で彼に見初《みそ》められたことにした。天仙飯庄でその話をすると、女人たちから質問が殺到したため、圭鷹と口裏を合わせるのに苦労した。

「君は何度も私を『殿下』と呼ぼうとしていたな」

軒車に乗りこむと、圭鷹が鈴霞を抱き寄せた。

「癖になっているんですよ。『若様』って呼ぶの難しかったわー」

「じゃあ、今日から名前で呼びなさい」

「圭鷹様？」

「……なんだか、くすぐったいな」

「ご自分で名前を呼べっておっしゃったくせに、何恥ずかしがってるんですか」

鈴霞はくすくすと笑い、圭鷹の頰《ほお》をつついた。圭鷹は気恥ずかしさをごまかすようにむすっとしていたが、堪《こら》え切れずに笑い出す。

視線が合うと、二人でわけもなく笑ってしまうのがなんとも不思議だ。

「宵麗お嬢様にも、一度くらいお会いしたいんですけど、だめですか？」

栄宵麗は郊外の料理店で夫とともに働いている。

宵麗が栄家の料理人と駆け落ちしたという噂《うわさ》は事実だったようだ。彼女は実家に帰ることを拒《こば》み、愛する夫と平穏に暮らすことを望んだ。栄家の主人は不満たらたらだったが、宵麗は見つかった時点で懐妊《かいにん》しており、入宮できる状況ではなかった。

圭鷹は宵麗に新しい身分と名前を用意し、栄家の干渉を受けずに暮らせるようにした。手駒《てごま》を失くした栄家は、圭鷹の提案通り鈴霞を栄宵麗として嫁がせるしかなかった。

「二人で客のふりをして訪ねていくというのはどうだ？」

「いいですね！　そうしましょう」

目と目を合わせて笑い、大きさの異なる手を重ねる。

「……殿下」

しっかりと重なったぬくもりに心をたくして、彼を見つめた。

「好きですよ、あなたのこと」

思いのほか恥ずかしくなってしまった。だけど言っておきたかった。大事なことだから。

英静が何をして、どうなったか、圭鷹がつまびらかに話してくれた。

彼の話を聞きながら、鈴霞は幾度となく泣いて、話を中断させてしまった。それでも最後まで聞き通した。圭鷹が背負っているものを少しでも自分のものとして感じたかったのだ。

（道は平たんじゃないわ）

これから先、いろんなことがあるだろう。楽しいこともあるだろうし、辛《つら》いことも多いだろう。どんなことがあっても、彼のそばにいたい。圭鷹が立ち止まるときには立ち止まり、歩き出すときには隣を歩いていく。その決意を新たにした。

「前々から疑問に思っていたんだが」

「えっ、こういうときは殿下も私に好きだって言ってくれるはずじゃ……」

甘い言葉を期待していたのに、肩すかしである。

「その前にはっきりさせておきたい。入宮したばかりの頃、君はよく何かの紙切れを見ていたな？　あれは何だ？　まさかと思うが、男からの手紙じゃないだろうな」

圭鷹が不審そうな眼差《まなざ》しを向けてくる。鈴霞は小首をかしげた。

「紙なんて見てました？」

「とぼけても無駄だ。端午節《たんごせつ》の宴席で団扇《うちわ》に隠してこそこそと見ていたぞ」

記憶を引っかき回してみる。さまざまなことがあったので、そんなささいなことは……。

「ああ、それ、包丁の絵ですよ」

ぱっと思い出して、鈴霞はぽんと手を叩いた。

「初めての晩餐《ばんさん》の前に私がすごく緊張していたので、まあさんが包丁の絵を描いてくれたんです。その紙をお守り代わりにして、心を落ちつかせていたんですよ」

包丁を毎日触り放題の今となってはどこにしまいこんだのか分からないが、探せば棚《たな》の抽斗《ひきだし》の奥から見つかるのではないだろうか。

「……包丁の絵……？」

圭鷹は眉間《みけん》に皺《しわ》を寄せていた。しばし黙り、ふっと眉《まゆ》を開く。

「なんだ、包丁の絵だったのか。君らしいな」

ほっとしたふうにつぶやいて噴き出す。

「男からの手紙かと思っていた。包丁の絵に嫉妬《しっと》していたとは、まぬけな話だ」

「そうでもないですよ。私にとって、包丁はすっごく大事な存在ですからね」

「大事といっても、私の次くらいだろう？」

圭鷹が手を握って指をからめてくる。鈴霞は「うーん」と眉根を寄せた。

「例えば、殿下と包丁が川で溺《おぼ》れていたら、どっちを助けるか小一時間悩みます」

「……小一時間も悩むのか。というか、包丁が川で溺れるってどういう状況だ？　包丁は溺れずに沈んでいくと思うが」

「あっ、そうか。だったら、のんびり悩んでる暇はないわ。すぐさま飛びこんで包丁を救出にいきます。殿下は自力で何とかしてください」

圭鷹は鈴霞を抱きしめて溜息をついた。

「即位したら、包丁禁止令でも出そうかな。この世から包丁という包丁がなくなれば、君は溺れる私を真っ先に助けてくれるだろうから」

「ほ、包丁禁止令なんてだめですよっ。そんなことしたら史上最悪の暴君っていわれます！」

包丁がない世界を想像して、鈴霞は身震いした。包丁なしでどうやって肉や魚をさばき、野菜をみじん切りにして、果物を美しく飾り切りにするというのか。

「それだけはやめてくださいっ。包丁はとても役に立つし、生活に欠かせないものです」

「君がそうやって包丁をかばうから、ますます妬《ねた》ましくなるんだ」

圭鷹は鈴霞の頬《ほお》をつまんで、凄《すご》むように目を細めた。

「分かるか？　私は怒っている」

「どうしたらお怒りが解けますか？」

「許してほしければ、償いをしなさい」

「償いって、何をすればいいんです……？」

本気で怒っているわけではないと知りながらも、びくりとしてしまう。

「ずっと私のそばにいなさい」

圭鷹は鈴霞を膝の上に抱き上げた。結い髪で簪《かんざし》の垂れ飾りがちらちらと揺れる。

「笑うときも泣くときも、私の腕の中にいると誓うんだ」

熱っぽい瞳に見つめられると、瞬きすらできなくなってしまう。

「誓います」

迷いのない答えは口づけで封じられる。唇が交わるたび、まるで火が灯ったように胸の奥が熱くなっていった。

「もし、誓いを違《たが》えたら、君が私よりも大切にしている包丁をひどい目に遭《あ》わせるぞ」

脅《おど》しにしては心地いい声音《こわね》が響く。鈴霞は彼の両頬を掌《てのひら》で包んだ。

「包丁の代わりに、私をひどい目に遭わせてください」

軟禁《なんきん》を言い渡された夜にしたように、圭鷹は額を重ねてきた。

「君は策略家だな。愛《いと》しい君にひどいことなどできないと知っていて、そんなことを言う」

「包丁にはひどいことできるんですか？」

「できる。むしろ、募《つの》りに募った憎しみをやつにぶつけたくてうずうずしている」

「なんでそんなに包丁を憎むんですか」

「君といつも一緒にいるし、君にかいがいしく世話をしてもらっているし、なれなれしく君の手に触れている。これで憎むなというほうが無理な話だ」

圭鷹が本気で眦《まなじり》をつり上げるので、鈴霞はころころと笑った。

「殿下とだっていつも一緒にいますし、婚礼が済めば、身の回りのお世話をする機会も増えますし、これからは殿下にいっぱい触りますよ」

ほら、と圭鷹の髪や顔や肩にぺたぺた触る。

「私も……君にたくさん触れていいか」

「もちろん、いいですよ。もう十分、触っていらっしゃると思いますけど」

膝の上に抱き上げられているのだから、体は触れ合っている。

「……いや、そういう意味ではなく……まあ、いいか。いずれ分かることだ」

思わせぶりに言葉を濁《にご》し、圭鷹は鈴霞の背中にそっと手をあてがった。

「背中に傷が残っていると言っていたな」

「馬に蹴《け》られたときの傷ですか？　はい、ちょっとだけ残ってます」

まあさんによれば、目立たないということだったが、あまり自信はない。

「……早く見たいな」

「は⁉」

傷痕を見たい？　鈴霞はぽかんとした。

「あ、ああ……誤解しないでくれ。不純な動機ではないんだ。私は君のことが好きだから、君のすべてを見たいと思っているだけで……」

「……すべてを、見たい……」

圭鷹の台詞《せりふ》の一番きわどい部分を繰り返し、鈴霞は耳まで赤くなった。いそいそと彼の膝の上からおりて、軒車《くるま》の隅っこに移動する。

「……不快だったか？」

おずおずと尋ねられ、首を横に振る。どきどきする胸を両手で押さえた。

「そっ、そうですよねっ。結婚するんだから、当然そういうことですよね。どうしよう、全然考えてなかったわ……背中の傷、大丈夫かしら。殿下にがっかりされないといいけど……」

問題は背中の傷だけではない。氷希には胸がお粗末と言われた。実際、その通りだ。服を着ていれば中に絹を詰めてごまかせるが、婚礼の夜にごまかしはきかない。

「あ、あの、期待しないでくださいね。服の上からでもだいたい分かるから、してないでしょうけど。全然期待しない状態で想像してみて、それを十割増しくらいでみすぼらしくして、馬に蹴られた傷痕を背中に思いっきりつけたものが実物に近いと……」

「おいで、鈴霞」

圭鷹が手招きしている。鈴霞は火照《ほて》った顔を伏せたまま、彼に近づいた。

「実は、とても期待している」

「……がっかりしますよ」

赤らんだ頰に掌をあてがわれ、面《おもて》を上げられる。

「落胆《らくたん》するはずがない」

鈴霞を見つめる瞳に、普段は冷静さで隠されている熱情が映りこんでいた。

「君のことを知れば知るほど、なおさら愛しくなるよ」

「……殿下」

「名前で呼びなさい」

命じられた通りに彼の名をつむぐと、ねぎらうように唇が重ねられた。

休む間もなく与えられる口づけは、優しくて、甘くて、愛おしげで。

鈴霞は切なくなるくらい幸せだった。


楓《かえで》が紅蓮《ぐれん》に色づく時節、皇太子の婚礼が盛大に執《と》り行われた。

文武百官が競い合って寿《ことほ》ぎの言葉と豪華な進物を献上する式典も滞《とどこお》りなく済み、あとは夕方から夜更けまで、広場にもうけられた宴席で延々と祝い酒が酌《く》み交わされることになる。

猟月は高官たちが左右を固めた堅苦しい席から離れ、赤く燃える楓林に来ていた。

ここで芙羅《ふら》と落ち合う約束をしているのだ。

宴席から流れてくる雅《みやび》やかな音楽に耳を傾けていると、楓を踏む足音が聞こえた。芙羅かと思って振り返り、がっくりと肩を落とす。

「何だ、おまえか」

芙羅ではない。視線の先にいたのは、本日の主役の一人である圭鷹だった。

「兄上、これを見てくれ！」

赤地に四爪《しそう》の龍が織り出された華麗《かれい》な花婿衣装を身にまとった弟は、央順《おうじゅん》に持たせていた螺《ら》鈿《でん》細工の箱をもぎ取り、猟月の前で開けてみせた。

「今夜、鈴霞に渡す贈り物なんだが、どう思う？　素晴らしいだろう？」

内側に繻子《しゅす》を張った瀟洒《しょうしゃ》な箱におさめられているのは、一本の包丁である。

「最高級の尹伯《いんはく》の包丁だ。この計算し尽された刃の形、厚さ、鋭さ。柄の細やかな文様も驚嘆《きょうたん》に値する。もはや、単なる包丁ではなく、芸術品だな」

圭鷹はしみじみと包丁を眺め、勝手に絶賛した。

「これなら鈴霞は大喜びするに違いない。早く喜ぶ顔を見たいが、夜にならないと二人きりにはなれないから、それまで我慢しないと」

猟月は螺鈿細工の箱を開けたり閉めたりしてそわそわしている弟を眺めた。

「俺もこんな感じなのかなあ」

「は？」

「おまえを見て自分を顧《かえり》みていたんだよ。好きな女のために用意した贈り物を持ってそわそわしてる男ってさ、あんまり格好いいものじゃないよな」

「他人からどう見られていようと知ったことか」

圭鷹は胸を張って言い返した。

「重要なことは鈴霞が喜んでくれるかどうか、それだけだ」

違いないな、とくつくつ笑ったときだ。

「待ちなさい！」という威勢のいい声が飛んできた。

茂みの向こうで花嫁衣装を着た鈴霞が見え隠れする。水雅を追っかけまわしているらしい。

「こら、水雅！」

重そうに枝を垂らした楓の隧道《ずいどう》をくぐるようにして、鈴霞が駆けてきた。繊細な花卉紋《かきもん》が散る鮮やかな紅裙《こうくん》をたくし上げているせいで、鳳凰《ほうおう》が刺繍《ししゅう》された絹靴があらわになっている。

「栄妃様！　そんなにお急ぎになると、衣装が乱れてしまいますわ」

一足遅れて追いかけてきたのは芙羅だった。藤の花が咲き乱れる薄紫の襦裙を身にまとった芙羅は、元気がよすぎる皇太子妃とは対極の艶麗《えんれい》さで猟月の視線を独占した。

「だって、水雅ったら私のお菓子を盗み食いしたんですよ」

鈴霞はじたばたと暴れる水雅を捕まえた。

「グェーッギェーッ」

「言い訳しないの。だいたい、水雅の分はちゃんとあげてたでしょ。ほんとに……あっ」

水雅が彼女の手からするりと抜け出す。鈴霞は逃げる水雅を捕まえようとして、楓の木の周りをぐるぐる駆け回った。止めるに止められず、芙羅はおろおろしている。

「やめなさい」

「あ……圭鷹様」

圭鷹が声をかけると、鈴霞はやっとのことで捕まえた水雅を抱えて動きを止めた。拘束が緩んだ隙《すき》に水雅はすかさず逃げ出し、圭鷹の後ろに隠れる。

「水雅を明杏に届けてくれ、央順」

央順は水雅を抱えて公主の座席に向かった。英静亡き後、水雅は明杏が引き取ったのだ。

「まったく、婚礼の日くらいおとなしくしていられないのか、君は」

「……ごめんなさい」

鈴霞はしゅんとしてうなだれた。鳳冠《ほうかん》をかぶった結い髪には楓の葉がくっついている。

「反省したか？」

「はい」

「よし。では、一緒に宴席に戻ろう。水雅に食べられたなら、私の菓子をあげるから」

圭鷹は花嫁の柳腰に腕を回して愛《いと》おしげに抱き寄せた。

「ん？　圭鷹様、それ何ですか？　ずいぶん立派な箱ですけど」

「ああ、これか。何でもない」

「何でもないことないでしょう。宝玉がいっぱいついてるし、すごいものが入ってそう」

「すごいものなのは当たりだ」

圭鷹は包丁が入った箱を得意そうに抱え直した。

「見せてくださいよ」

「だめだ」

「なんでですか？」

「あとで見せる」

「だったら今、見せてもいいでしょ」

「今は見せられない」

鈴霞に詰め寄られながら宴席に戻っていく弟を見送り、猟月は芙羅を抱きしめた。

「ようやく邪魔者どもがいなくなってくれたな」

「邪魔者だなんて、ひどいおっしゃりようですわ」

口づけすると、芙羅は恥ずかしそうに頰《ほお》を染める。

「花嫁衣装を着たあなたを早く見たい。きっと夢を見てるみたいに綺麗《きれい》だろう」

猟月と芙羅の婚儀は二月後に行われる予定だ。あと二月経てば、芙羅を妻と呼べるようになる。そう思うと待ち遠しくてたまらなくなり、二月が二百年のように感じられた。

「皇太子殿下と妃殿下のような仲睦《なかむつ》まじい夫婦になれるかしら」

「圭鷹たちなんか目じゃないぞ。俺たちのほうがもっと仲睦まじい夫婦になる」

微笑《ほほえ》み合い、唇を重ね合う。

風が躍り、芙羅の髪と同じ色の葉がひらりと舞い落ちた。

「素敵な季節ですわね」

芙羅は猟月の腕に抱かれて、目も綾《あや》な秋の景色を眺めた。

「あなたがいてくれれば、いつだって素敵な季節だよ」

何度目かの口づけを交わしたとき、宴席から軽快な舞曲が聞こえてきた。

見目麗《うるわ》しい宮妓《きゅうぎ》たちが艶《あで》やかな舞を披露するのだろうが、彼女たちが天女のように舞ったとしても、残念ながら皇太子の目にはとまらない。

圭鷹は楓色の花嫁に夢中なのだ。

――猟月がそうであるように。


仁啓帝《じんけいてい》の皇太子・高圭鷹に嫁《とつ》いだ栄宵麗は、婚礼後、皇太子より名を賜《たまわ》った。

その名を鈴霞という。

栄鈴霞は皇太子の寵愛《ちょうあい》を一身に受け、新帝即位に際して皇貴妃《こうきひ》に冊立《さくりつ》された。

新帝の後宮において最も高位の妃嬪《ひひん》は貴妃であるという慣例が破られたのは、これが初めてのことであった。

あとがき

こんにちは。はるおかりのです。

再び大好きな後宮ものを書かせていただいて、とても嬉しく思っています。

前回は「書」がテーマでしたが、今回は「料理」です。中華料理の歴史についてあれこれ調べてみたのですが、まったく知らなかったことばかりで驚きの連続でした。

唐辛子《とうがらし》が中国に伝来したのは明《みん》代末（料理書に登場するのは十九世紀）、餃子《ギョウザ》は春秋《しゅんじゅう》時代（紀元前ですよ）からある、周《しゅう》代にはカエル料理のためにカエル捕り専門の役人がいた、唐《とう》代には宮中の宴《うたげ》で出された食べ物はお持ち帰りOKだった（明代ではむしろ持ち帰らないと罰せられた）、宋《そう》代には贈答用の粥《かゆ》（色鮮やかな具材を使ってめでたい図柄を描いた豪華なもの）が流行《はや》った、など興味深い点が多かったです。

本作に何度も出てきた「御膳房《ごぜんぼう》」について補足したいと思います。

『中国の食文化研究　北京編』『食在宮廷《しょくはきゅうていにあり》』によれば、清《しん》代の御膳房は肉類・魚類・海鮮料理を担当する葷局《くんきょく》、野菜料理を担当する素局《そきょく》、炙《あぶ》り焼き料理を担当する掛炉局《かいろきょく》、点心《てんしん》を担当する点心局、粥や飯を担当する飯局《はんきょく》の五局に分かれていました。

御膳房は皇帝一人のための厨房《ちゅうぼう》です。皇太后、皇后、妃嬪《ひひん》たちはおのおのの厨房を持っていましたが、御膳房から料理を下賜《かし》されることもありました。

作中の「御膳房」は清代がモデルですが、細かい部分は違います。前述したように御膳房は皇帝専用で、皇后の食事は皇后の宮殿で作られるので、三品目で呉皇后《ごこうごう》の食事を御膳房が用意しているのはおかしいのですが、ストーリーの都合上、その辺りは曖昧《あいまい》にしています。

さて、ヒロインの鈴霞《りんか》は料理人ですが、実際に唐・宋時代には女性調理師が華やかに活躍しています。皇宮の厨房に仕えた女性の料理人もいて、彼女たちは「尚食娘子《しょうしょくじょうし》」と呼ばれ、官吏《かんり》に雇われた人たちは「厨娘《ちゅうじょう》」と呼ばれていました。

宋代には厨娘が大流行し、王侯貴族や富豪が競って雇いました。給料は男性の調理師より高い場合すらあり、お金持ちでなければ雇えなかったそうです。

宰相《さいしょう》が主催する大宴会の料理を任され、大勢の調理師たちを指揮した厨娘もいるのですが、当時の時代背景を考えればかなりすごいことですね。

本作で紹介したメニューについて少々。

一品目で班太后《はんたいこう》の好物として出した豚肉の桜桃煮《おうとうに》は、清代の西太后《せいたいごう》が好んだといわれるメニューです。弱火で十時間も煮込むらしいので、作るのは大変そうです。鈴霞が作っている豚肉の桜桃煮は、さすがにそこまで時間がかかる料理ではないはずですが……。

ちなみに、中華料理ではカエル肉のことを「桜桃《インタオ》」と呼ぶことがありますが、豚肉の桜桃煮の桜桃はカエルではありません。ユスラウメ（あるいはサクランボ）です。

二品目に出した「志緋亜《しひあ》」なる古鹿族《ころく》のお菓子は、西域の食品として元代《げん》の書物で紹介されている「古刺赤《クラッツー》」をモデルにして作りました。豆粉のクレープで、木の実が挟んでありますクレープを三、四層重ねて、（一説によると）ごま油で調えた蜂蜜《はちみつ》をかけて食べるものなので、ミニミルクレープのような感じにしました。

三品目の「羊肉の煮込み」は清代の料理書『随園食単《ずいえんしょくたん》』のレシピを参考にしています。『随園食単』にはたくさんのレシピが紹介されており、眺めているだけでも楽しいです。羊肉の煮込みだけでなく、一品目の「鶏の焦がし煮」、二品目の「豆腐皮《ゆば》の吸い物」も『随園食単』のレシピを参考にしました。他にも登場させたい料理がたくさんありましたが、ほんの少ししか出せませんでした。ご興味があれば、ぜひ『随園食単』をのぞいてみてください。

前作のあとがきで嵐快《らんかい》（本作では仁啓帝《じんけいてい》）は方寧妃《ほうねいひ》（本作では方柔妃《ほうじゅうひ》）と再会したらやけぼっくいに火だろうなぁと書きましたが、まさにその通りでしたね。今作のなんやかんやはこの人が原因のような気がします。作中で書けなかったのですが、嵐快がつけている猫目石《ねこめいし》の指輪は彼が方柔妃に贈ったもので、方柔妃の死後、再び嵐快のもとに戻ってきました。

全体を通して意外だったのは、程昭儀《ていしょうぎ》と猟月《りょうげつ》が結構仲よさそうな母子であることです。台詞《せりふ》はありませんが、猟月は前作にも登場しています。お父さんとお母さんはいろいろありましたが、猟月はひねくれることもなく、両親とうまく付き合っているようです。

この作品で一番不憫《ふびん》なのは三男じゃないかな……と思っています。彼は不運なことに、四男と同時期に生まれているんですよ。おかげでいつも四男の次という扱いです。そのせいか、ひねくれています。長兄、次兄ともいまいち上手に付き合えません。お父さんに注目してほしくて問題ばっかり起こしていますが、お父さんにはスルーされます。

おまけに三品目ではあんなことになってしまうし……あ、そうでした。書き忘れていましたが、彼は生きのびていますよ。ただし、央順《おうじゅん》ほどではないにしろ、顔に毒の爪痕が残ります。……書けば書くほど不憫さが増してきました。というか、肝心《かんじん》の安否を書き忘れられている点ですでに……。三男にも春が来るといいんですが、どうでしょう。

書き忘れていたと言えば、央順。この人、なんで普通に後宮をうろうろしているんだろう？と小一時間考えた結果、彼が宦官《かんがん》だったことを思い出しました。圭鷹《けいよう》が成人する前（後宮で暮らしていたとき）から仕えていますので、当然、宦官ですよ。

とすれば、明杏《めいあん》の恋もハッピーエンドというわけにはいかないでしょうね。

主役の二人については、作中で十分語られていますので、改めて書き加えることはありませんが、書いていて困ってしまったのは軟禁された翌日のシーンです。軟禁生活のはずが、新婚生活が始まってしまった……と困惑しました。

前作『後宮詞華伝』の主役二人もちょっとだけ顔を見せています。『後宮詞華伝』から二十年経っていますが、相変わらず仲睦《なかむつ》まじい夫婦のようです。変わってしまったことといえば、皇兄と皇帝の関係ですね。前作では仲良し兄弟でしたが、例の事件のせいでこじれてしまいました。和解できるのかなと心配ですが、もしできるとしても、どちらかが死ぬ間際でしょう。

今回もイラストは由利子《ゆりこ》先生に担当していただきました。まずカバーが美麗《びれい》すぎます。鈴霞の髪飾りや艶々《つやつや》の黒髪の美しさはもちろんのこと、色彩豊かな衣装に見惚《みと》れてしまいます。圭鷹と鈴霞はイメージ通りですし、猟月や芙羅《ふら》など、脇キャラたちも素敵に描いてくださいました。特に嬉しかったのは水雅《すいが》が挿絵に登場していたことです。英静《えいせい》の膝の上にちょこんと座っていて可愛《かわい》いです。ギリギリのスケジュールにもかかわらず、最高に美しいイラストを仕上げてくださり、感謝の気持ちでいっぱいです。ありがとうございました。

担当様には、本当に本当にお世話になりました。ご迷惑ばかりおかけしてしまいましたが、お力添えいただいたおかげで書き上げることができました。心よりお礼を申し上げます。

最後になりましたが、ここまで読んでくださった皆様に深く感謝いたします。

前作同様、思いっきり楽しんで書かせていただいた作品です。どうか読者の皆様にも楽しんでいただけますよう、切に祈っております。

はるおかりの

この作品のご感想をお寄せください。
はるおかりの先生へのお手紙のあて先
〒101－8050　東京都千代田区一ツ橋2－5－10
集英社コバルト編集部　気付
はるおかりの先生

はるおか・りの

7月2日生まれ。熊本県出身。蟹座。AB型。『三千寵愛在一身』で、2010年度ロマン大賞受賞。コバルト文庫に『三千寵愛在一身』シリーズ、『A collection of love stories』シリーズ、禁断の花嫁三部作がある。趣味は懸賞に応募すること、チラシ集め、祖母と電話で話すこと。わけもなくよく転ぶので、階段が怖い。

後宮饗華伝

包丁愛づる花嫁の謎多き食譜《レシピ》

COBALT-SERIES

2016年3月10日　第1刷発行
2020年12月15日　第5刷発行

★定価はカバーに表示してあります

著　者　はるおかりの
発行者　北畠輝幸
発行所　株式会社　集英社
〒101−8050
東京都千代田区一ツ橋2—5—10
電話　【編集部】03-3230-6268
【読者係】03-3230-6080
【販売部】03-3230-6393(書店専用)

印刷所　株式会社美松堂
中央精版印刷株式会社

ISBN978-4-08-601893-7 C0193

コバルト文庫
好評発売中
禁断の花嫁
シリーズ
はるおかりの
イラスト／田中 琳
皇弟《こうてい》は黒き花嫁に跪《ひざまず》く
美しい修道女ソフィカはある日、リダーノフ大公女の身代わりとして、皇弟ルヴァートの婚約者のふりをするよう命じられて…？
公爵家の花嫁は禁断の恋歌《アリア》をうたう
皇太子ヨハンと会う日まで城に隠されている公爵家の美姫ユティーリア。だが、宿敵シュナーチェル家の放蕩息子と出会って…？
失恋姫の花嫁計画！！ 甘い毒薬の作り方
ヴォーツェン帝国皇妹エルレンシアは、ディートリヒに49回目の告白をするも撃沈。次なる策は、男装をして想い人の城へ潜入！？
電子書籍版も配信中　詳しくはこちら→http://ebooks.shueisha.co.jp/cobalt/

コバルト文庫
好評発売中
ロマンス満載の恋する短編集♥
はるおかりの
イラスト／由利子
A collection of love stories 1
魔女の処方箋《レシピ》
赤髪を疎まれ田舎で暮らす王女に、悪魔と呼ばれる男との政略結婚が浮上して…。
A collection of love stories 2
黒髪のマリアンヌ
没落貴族の令嬢でもと悪魔憑き、おまけに不美人というマリアンヌと結婚を望む青年の裏の事情とは!?
A collection of love stories 3
林檎の乙女は王の褥《しとね》で踊る
かつて和平の証として敵国に嫁いだ幼い少女は、政略結婚した夫を兄のように慕っていたが、いまだに結ばれたことがなくて…？
電子書籍版も配信中　詳しくはこちら→http://ebooks.shueisha.co.jp/cobalt/

集英社オレンジ文庫

陽丘莉乃

ユーレイギフト
二度目のさよなら、包みます

大学進学を機に上京した鈴歩は、
幼い頃大好きだった祖母と疎遠なまま
死に別れたことを後悔している。
そんなとき、死んだ人にプレゼントを
届けられるという包装店の存在を知って…!?

【電子書籍版も配信中　詳しくはこちら→http://ebooks.shueisha.co.jp/orange/】